W9-CPV-291

Nürnberg

Waldsassen

Deggendorf

Rothenburg

Schaffenburg

Spessart-Autobahn

Coburg

83

49

Bad Berneck

63

79

Volkach

81

48

Bamberg

Bayreuth

68
70
72

Miltenberg

WÜRZBURG

Pommersfelden

59

Tüchersfeld

55

Feuchtwangen

NÜRNBERG

66

76
77

Rothenburg

52
53
57

35

REGENSBURG

Arbersee

44

Kloster Weltenburg

38
39

31
33

Landshut

42

Passau

9
11
14
15
18
20
22

24

Augsburg

MÜNCHEN

46

Burghausen

121

Ottobeuren

125

114

Neuschwanstein

120

105

87
90

Chiemsee

86

96

Wies

Linderhof

Oberammergau

107

Ettal

25

29

28

Prien

Anger

124

Füssen

111

92

BERCHTESGADEN

Lindau

127

Mittenwald

Bad Tölz

Tegernsee

Schliersee

100

Reit im Winkl

97

Blaueisgletscher

Königssee

94

OBERSTDORF

116

118

Einödsbach

103

Zugspitze

101

110

GARMISCH-PARTENKIRCHEN

Bayern in Bildern
Illustrations of Bavaria
Des Illustrations Bavaroises

WAPPEN DES FREISTAATES BAYERN

Titelbild dieses Buches: Urlaubsauftakt in Ruhpolding (Foto: Robert Löbl)

Rückseite dieses Buches: Nürnberg, Heilig-Geist-Spital (Foto: Bavaria Verlag)

ISBN 3 87567 250 X

© Copyright bei Verlag Lambert Müller GmbH, München 25
Druck: Obpacher GmbH, München 25 / Printed in Germany
1. Auflage 1971

Die Bilder in diesem Buche stammen von Toni Angermayer (S. 22), C. L. Schmitt (S. 24, 25, 35, 44, 49, 76, 81, 97), Robert Löbl (S. 38), Wilhelm Rau (S. 48), Toni Schneiders (S. 55, 124), Otto Ziegler (S. 28, 57, 59, 62, 63, 66, 68, 79, 90), Gerhard Klammet (S. 73), Franz Höch (S. 83), Keetmann (S. 86, 96), Rudolf Henneberger (S. 87), Heinz Müller-Brunke (S. 94, 110), SV-Archiv (S. 9), Verkehrsamt Oberammergau (S. 114). Für die Bereitstellung der Druckunterlagen zu den Bildern S. 11, 31, 42, 46, 52, 127 dankt der Herausgeber dem Adolf Korsch Verlag, München, zu den Bildern S. 15, 29, 33, 77, 92, 100, 101, 103, 105, 107, 111, 116, 118, 120, 121, 125 dem Verlag Großbild-Technik GmbH, München. Die Bilder S. 14, 18, 20, 39, 52, 70, 72 entstammen den Bildbänden „Kunstwerke der Welt" (Lambert Müller Verlag).

Bayern in Bildern

60 Ziele im Umkreis der bekannten Touristenzentren

Illustrations of Bavaria

60 stations in the circuit of the best-known touring centres

Des Illustrations Bavaroises

60 buts à l'entourage de centres touristiques bien connus

VERLAG LAMBERT MÜLLER · MÜNCHEN

INHALTSVERZEICHNIS

7

DER OLYMPIATURM IN MÜNCHEN ist das jüngste Wahrzeichen dieser Stadt. Als Fernsehturm gebaut, fiel seine Fertigstellung mit der Wahl Münchens zur Olympiastadt zusammen. Nun breitet sich um ihn herum die „olympische Landschaft" aus: das Stadion für 80 000 Zuschauer, Sporthallen und Trainingsplätze, das Olympische Dorf für 12 000 Wettkämpfer, die Pressestadt für 4000 Journalisten . . . Was aber alles gebaut und bei den Spielen 1972 geleistet werden mag, der Turm wird mit seinen 290 Metern alles überragen und jedermann Gelegenheit geben, sich mittels Blitz-Lift darüber zu erheben: Das Drehrestaurant in luftiger Höhe läßt für seine Besucher ein großes Rundpanorama vorüberziehen. Wenn der Himmel mitspielt, liegt in diesem imposanten Blickfeld manch eines der Reiseziele dieses Buches, liegt Bayern dem Gast zu Füßen.

THE OLYMPIC TOWER OF MUNICH is the youngest landmark of this town. Built as a communication-tower its completion coincided with the election of Munich as town of the Olympic Games. Now round the tower spreads the "Olympic Landscape", the stadium for 80 000 spectators, the olympic village for 12 000 competitors, the little town for the press with accommodations for 4000 journalists . . . But whatever might have been constructed or may be performed at the Olympic Games in 1972, the tower with its altitude of 290 meters will rise above everything. There will be a rapid elevator to take people up, where the rotating restaurant high above the town offers a splendid panorama. With cooperation of the sky this great view will reveal quite a few destinations of tours, mentioned in this book. The greatest part of Bavaria will be at the visitors' feet.

LA TOUR OLYMPIQUE (OLYMPIATURM) A MUNICH est l'emblème le plus jeune de cette ville. Projetée comme tour de télévision on l'avait terminé au moment, que Munich fut choisie comme ville des jeux olympiques. Maintenant autour de la tour s'étend le «Terrain olympique», c'est-à-dire, le stade pour 80 000 spectateurs, des salles de sport et des places d'entraînement, le village olympique destiné pour 12 000 champions, des bureaux de la presse pour 4000 journalistes. Soit il, qu'il s'agit de constructions ou des performances pendant l'Olympiade en 1972, la tour avec ses 290 mètres d'hauteur dominera tout, et celui, qui désire de s'elever au dessus de la ville olympique, a l'occasion d'y aller avec l'aide d'un ascenseur rapide. Le restaurant tournant là-haut offre aux visiteurs un panorama circulaire. Si le ciel le permet on peut fixer le regard sur plusieurs buts de voyage, mentionné dans ce livre-ci; une grande partie de la Bavière est située aux pieds des visiteurs.

DER VIKTUALIENMARKT ist ein Herzstück der Münchener Altstadt. In einer Duft-
symphonie von Blumen und Obst, Käse und Fisch kann man die köstlichsten Studien
machen. An den Markttagen, und an den Freudentagen der Stadt noch besonders,
spielt sich dort ein Stück ursprünglichsten Volkslebens ab, und der von ebenso derben
wie hintersinnigen Pointen gewürzte Münchener Volksmund treibt seine schönsten
Blüten. Im Hintergrund des Bildes stehen die alten Wahrzeichen der Stadt: Die
Doppeltürme der Frauenkirche; sie ist ein markantes Beispiel süddeutscher Backsteingotik. Der Alte Peter; von seinem Turmumgang bietet sich dem Besucher an
blauen Föhntagen ein grandioses Alpenpanorama dar. Der neugotische Rathausturm;
sein Glockenspiel mit dem Ritterturnier und dem Schäfflertanz ist ein Treffpunkt der
Touristen aus aller Welt.

THE "VIKTUALIENMARKT", — the grocery-market —, is a central point of the
city of Munich. In a symphony of scents, a mixture of flowers and fruit, of cheese
and fish it is possible to make the most delicious studies. On market days and on
holidays a good piece of folklore takes place there; the Munich vernacular is to be
heard all over the place, spiced with blunt and often heart-felt points. In the background of the picture the ancient landmarks are to be seen; the twin-towers of the
church of "Our Lady", the church being a remarkable example of the brick-gothique
of southern Germany. The "Alte Peter" (the Old Peter) has a tower-gallery, from
where the visitor may enjoy a splendid panorama of the Alps, if he climbs up there
on a day of foehn. The tower of the town-hall is built in a new-gothique style: its
carillon, showing a knight's tournament, and the dance of the "Schaefflers" is a
meeting point for tourists from all over the world.

LE «VIKTUALIENMARKT» — MARCHE d'ALIMENTATION, est une place caractéristique de la cité de Munich. Ici une symphonie d'odeurs se composant de fleurs
et de fruits, de fromage et de poisson, qui permet des études exquises. Aux jours de
marché et aux jours de fête on y trouve toute sorte d'une folklore originale et l'opinion
publique traduite souvent par des expressions rudes et avec un esprit sain et naturel.
Au fond du tableau on y voit les anciens symboles de la ville; les doubles tours de
l'église de Notre Dame (Frauenkirche), marque distinctive d'un style de la brique
gotique de l'Allemagne du sud. Voici la tour célèbre, «Der Alte Peter» (le vieux Pierre);
de sa galerie le visiteur a une vue superbe sur les Alpes aux jours de foehn. La tour
de l'hôtel de ville, construite en style gotique plus nouveau avec son carillon au
tournoi équestre et la danse des «Schaefflers» est un rendez-vous de touristes de tous
les continents.

10

DIE PATRONA BAVARIAE IN MÜNCHEN ist kein liebliches Marienbild schlechthin. Aus Erz gegossen, steht da eine herbe Gestalt, die Himmelskönigin, die an diesem besonderen Standort vor der Hauptfront der wittelsbachischen Residenz als Schutzpatronin des Bayernlandes ausgewiesen ist. Lange Zeit hatten Italiener und Niederländer das Gesicht der Münchnerstadt geprägt. Nun setzte mit Hans Krumpper, dem Sohn eines Holzschnitzers aus dem oberbayerischen Weilheim, ein Einheimischer die Tradition in zwar großzügiger, aber sparsam und rationell ausgeführter Weise fort: Als Baumeister der Residenzfront verzichtete er auf den Haustein und ersetzte die Plastik durch Fassadenmalerei in südländischer Manier. Als gelernter Bildhauer schuf er als triumphale Mitte des Bauwerks das stolze Bild der Patrona.

THE PATRONA BAVARIAE IN MUNICH is not simply a delightful picture of the Holy Mary. Cast of bronze, an austere forme, the queen of Heaven has her location at the main front of the "Wittelsbach"-residence as patron saint of Bavaria. During long periods the Italians and the Dutch have been stamping the face of Munich. Later a native, Hans Krumpper, son of a wood-carver from the little town of Weilheim in Upper-Bavaria, continued the tradition in a liberal but rational way. As architect of the front of the residence he did without the stone cutting and replaced the plastic sculpture by painting the façades in a southern style. Skilled sculpturer that he was, he created as a triumphant centre of the building the proud picture of the Patrona.

LA PATRONA BAVARIAE A MUNICH n'est pas simplement un image gracieux de la Sainte Marie. Fondu d'airain, elle est établie devant la façade principale de la «Wittelsbach»-résidence; elle ne symbolise pas seulement la reine du ciel mais la patronne de la Bavière. Longtemps les Italiens et des Néerlandais ont créé l'apparence de la ville de Munich. Après c'était Hans Krumpper, fils d'un sculpteur sur bois de la petite ville de Weilheim en haute-Bavière, qui continuait la tradition en grand style, mais économique et rationelle. Comme architecte de la façade principale de la résidence il renonçait aux pierres taillées et remplaçait la plastique par la peinture de façade de manière méridionale. Comme sculpteur érudit il a créé au centre de l'édifice l'image fier de la Patronne.

DER HOFGARTEN DER MÜNCHENER RESIDENZ ist eine Insel der Stille in der ▷▷
Olympiastadt. Er wird begrenzt vom klassizistischen Königsbau mit dem Herkules-
saal und von den Arkaden, die einst heroische Hellas-Fresken schmückten, in deren
Schatten sich heute Galerien und Boutiquen, Antiquitäten und Modernitäten ducken.
Der Ort weckt Reminiszenzen an eine Zeit, die „das Land der Griechen mit der
Seele suchte"; in der die Pinakotheken entstanden und der König für die Glyptothek
die Giebelfiguren des Tempels von Aegina erwarb; die für die Münchnerstadt den
Namen Isar-Athen prägte. Der Bildausschnitt lenkt den Blick hinaus auf die im
reinsten italienischen Barock aufgeführte Theatinerkirche St. Kajetan, ein markanter
Punkt im Bild dieser Stadt, die sich gern über den Wall der Alpen hinweg mit Süd-
lichem verschwägert.

THE ROYAL GARDEN OF THE MUNICH RESIDENCE is a peaceful island in the
middle of the olympic town. It is surrounded by the classic royal building with its
Hall of Hercules and the Arcades, which formerly were decorated with heroic fresco-
paintings of Hellas. In its shadow there are now galleries and boutiques, antiquities
and modernities. This place rouses remembrances of a time, which "longed (for) the
land of the Greeks with its soul", a time, when the "Pinakothekes" were being built
and the king purchased for the "Glyptothek" the gable figures of the temple of Aegina,
which gave the town its name "Athens on the Isar". The section of this picture shows
the church "Theatiner of St. Cajetan", built in the purest Italian baroque. It is a remarkable point of the panorama of the town which likes to unite itself with the south
beyond the Alps.

LE JARDIN DE LA COUR DE LA RESIDENCE DE MUNICH est une îsle de tranquillité de la ville olympique. Il est couronné de l'édifice royal classifique avec la
salle d'Hercule et des Arcades, jadis décoré d'heroiques fresques d'Hellas, et dans leur
ombre se trouvent aujourd'hui des galeries et boutiques, des antiquités et des
nouveautés. Le lieu provoque des memoires d'un temps, «qui cherchait le pays de
Grecs avec l'âme», d'une époque de laquelle resultent les «Pinakothekes». A ce temps-
là le roi acquérit pour la «Glyptothek» les figures du pignon du temple d'Aegina, qui
donnèrent à Munich le nom «d'Athènes sur l'Isar». La coupe de cette illustration
braque la vue vers l'église «Theatiner de St. Cajetan», église en style baroque italien
le plus pur. Elle forme un point marquant dans l'image de cette ville, qui aime à
s'allier avec le sud de l'autre côté des Alpes.

PATRONA
BOIARIÆ

EINE STADTRUNDFAHRT IN MÜNCHEN blättert zunächst das übliche Postkarten-Leporello aller Großstädte auf: Erinnerungen an Fürstenzeiten neben dem Allerweltsbaustil der Waren- und Bürohochhäuser, ein Potpourri von Toren und Türmen, Brücken und Brunnen . . . Aber da gibt es die Stationen, wo München einmalig ist, einmalig „münchnerisch": Wenn z. B. hinter der hohen Schaufront einer Brauerei die riesigen Kupferhauben der Sudpfannen aufblitzen — Wahrzeichen stolzer Braumeistertradition. Oder am Königsplatz, der sich mit Propyläen und Glyptothek „griechisch" gibt — Dokument der Zeit, die der Stadt den Namen „Isar-Athen" gab. Gleich hinter dem hellenistischen Torbau steht das „Stadtschloß" Franz von Lenbachs, der vom Maurersohn aus Schrobenhausen im Bauernland zum Münchener Malerfürsten arrivierte. Hinter der Palladio-Fassade gesellen sich zu den Meisterporträts, die der Hausherr von den Großen seiner Zeit schuf, ohne Mißklang die Farborgien eines Kandinsky — wer weiß schon, daß auch dieser Vorreiter der modernen Malerei seine Inspiration im Bauernland fand, im Murnauer Moor am Alpenrand, vor den ungelenken, frommen Hinterglasbildern der Moorbauern. Eine urmünchnerische malerische Besonderheit birgt auch das Nymphenburger Schloß, wo die Rundfahrt ihren schönsten Haltepunkt hat: Neben dem, was an galante Jagden im Park und venezianische Gondeln auf dem Schloßteich erinnert, hängt dort König Ludwigs I. Galerie schöner Münchnerinnen. Eine museale Schau von weltweiter Reputation ist das Deutsche Museum, Sachgebiet: Technik aller Zeiten. Ihr Initiator und Erbauer, Oskar von Miller, erntete für sein Werk noch das Lob des großen Edison. Vieles, was noch unabdingbar zum München-Besuch gehört, kann die Rundfahrt nur mit einem Seitenblick streifen, Ziele, denen ein kurzer Halt auch nicht gerecht werden könnte, die der Gast nach seinem Gusto wählen muß: Hofbräuhaus oder Staatsoper, Festwiese oder Haus der Kunst . . .

A SIGHT-SEEING TOUR IN MUNICH produces at first the usual impression of picture-postcards: Remembrances of a princely era beside a uniform style of sky-scrapers, housing department stores and offices; a pot-pourri of gates and towers, bridges and fountains . . . But there are points, unique for the town of Munich. If for instance behind a high front view of a brewery the giant copperhoods of the brewing tubs are flashing — distinctive sign of a proud tradition of brewers. The royal square — "Koenigsplatz" — with its "Propylaeen" and the "Glyptothek", lending itself a greek appearance, is a document of the period from which the town derives the name of "Athens on the Isar". Right behind the hellenistique gate the palace of Franz von Lenbach is situated. As son of a mason he was born in Schrobenhausen, a small countryplace and he was known as prince of the painters of Munich. Behind a façade created by Palladio the portraits, which the master of the house made of the celebrities of his time, join without dissonance the true orgies of color, works of Kandinsky. — Few people know that the outrider of modern painting found his inspiration in the countryside, at the Murnau-marshes at the edge of the Alps; he found it in front

16

of the naive and pious paintings behind glass in the houses of farmers living in the marshes. A special kind of painting, which is typical for Munich, contains the Nymphenburg castle. Here we have the most beautiful haltingplace of the whole drive. Besides various objects reminding of gallant hunting in the park and Venetian gondolas on the pond in front of the castle, we find there King Ludwig's I gallery of the most beautiful Munich girls. The German Museum has worldwide fame. Its special branch: Technics of all periods. Its founder and constructor was Oskar von Miller; he was praised for his work by the great Edison. A visit of Munich should cover many more things and such a drive only permits some glances. There are places, where a longer halt is needed. The visitor must make his choice: Hofbräuhaus or National Opera, the Munich-Fair or the House of Arts ...

UN CIRCUIT AU CENTRE DE MUNICH produit d'abord l'impression générale des cartes postales en dépliant, qu'on trouve dans toutes les grandes villes: souvenirs des époques ducales auprès des styles uniformes des grattes-ciel des magasins et des bureaux; un pot-pourri, existant des portes et des tours, des ponts et des fontaines ... Mais il y a des lieux uniques ... des stations typiques, qu'on ne voit qu'à Munich. Derrière devantures hautes d'une brasserie brillent des cabots gigantesques de cuivre, contenant des produits bouillants pour la fabrication de bière — fier symbole d'une tradition des brasseurs. Ou bien la place royale — «Königsplatz» —, qui se présente en style grec avec ses «Propylaeen» et la «Glyptothek» — documents du temps, d'après lequel la ville a reçu son nom d'«Athènes sur l'Isar». Directement derrière la porte hellenistique se trouve le palais de Franz von Lenbach, fils d'un maçon, né à Schrobenhausen, petite ville paysanne, et qui est devenu prince de paintres de Munich. Derrière la façade de Palladio il y a une exposition de chef-d'œuvres, ce sont des portraits, qui le maître de maison avait créé après des célébrités de son époque, œuvres, se joignant sans dissonance aux orgies des couleurs, produites d'un Kandinsky. Qui sait que ce piqueur de peinture moderne pareillement a trouvé son inspiration à la campagne, au marécage de Murnau, — au bord des Alpes, devant les peintures sous verre naïves et pieuses des paysans vivant au marécage. Au château de Nymphenburg, l'arrêt le plus beau du circuit, on trouve une singularité originale de la ville de Munich. Auprès des souvenirs des chasses galantes dans le parc et des gondoles Venisiennes sur l'étang appartenant au château on y voit suspendue la galerie des belles Municiennes, collectionnée par le roi Ludwig Ier de Bavière. Le Musée Allemand se réjouit d'un renommée mondial. Son ressort: La technique pendant toutes les époques. Le constructeur était Oskar von Miller, son œuvre fut même élogé par le célèbre Edison. Le circuit ne peut guère comprendre toutes les choses absolument importantes pour une visite de Munich. Il en a des buts, qui demandent un arrêt plus long et qui le visiteur doit choisir selon son propre goût: Hofbräuhaus ou Opéra National; place de la Foire de Munich ou Maison de l'Art ...

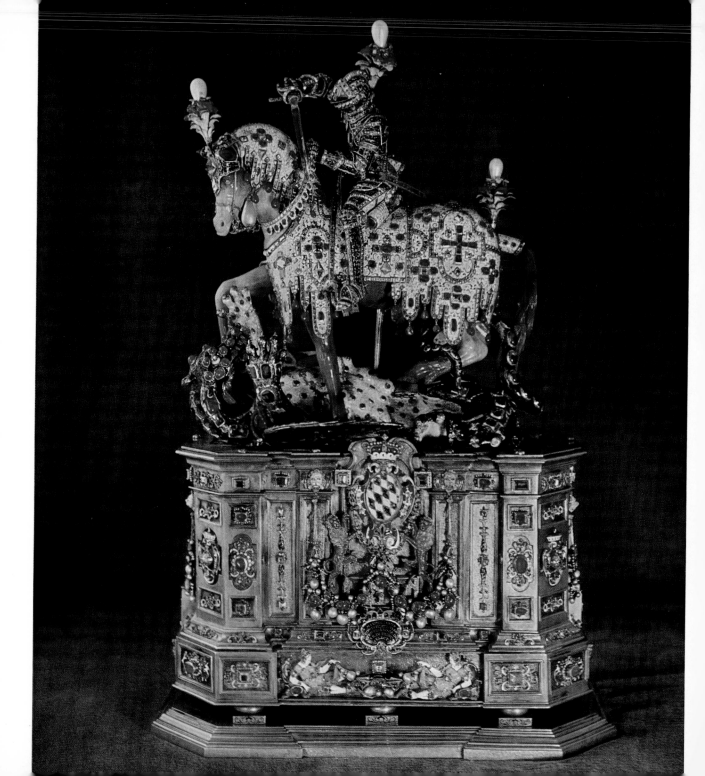

IN DER SCHATZKAMMER DER MÜNCHENER RESIDENZ wird diese Statuette des Ritters St. Georg bewahrt. In einem dämmerigen Raum steht das kleine Reiterstandbild wie eine leuchtende Vision. Mehr noch als die bayerischen Kroninsignien ist diese Darstellung des Drachentöters zum Mittelpunkt der Kleinodiensammlung geworden, „ein Zeugnis fürstlicher Repräsentation und tiefer Gläubigkeit zugleich". Das Kunstwerk entstand in der Spätrenaissance, als in München die Prachtfassade der Michaelskirche emporwuchs. Der Sockel ist aus vergoldetem Silber, die Figurengruppe aus purem Golde getrieben, das Pferd aus Achat, das Schwert aus Bergkristall geschnitten. Für das reiche, ornamentale Dekor wurden neben den ins Auge fallenden Smaragden und Saphiren 2300 Diamanten, 400 Rubine und 200 Perlen verarbeitet.

AT THE TREASURY OF THE MUNICH RESIDENCE this statuette of the knight St. George is kept in a dim room where it shines like a supernatural vision. Far more than the insignia of the Bavarian crown this presentation of the dragon-slayer has become the centre of this collection of treasures; "evidence of princely representation as well as deepest confidence". The work of art originates from the late Renaissance, at the time when in Munich the magnificent façade of the church St. Michael grew up. The pedestal is made of gilt silver, the group of figures is sculptured of pure gold, the horse is of agate, the sword is cut of rock crystal. For the rich, ornamental decoration 2300 diamonds, 400 rubies and 200 perles were used besides a quantity of emeralds and sapphires attracting the eye.

LA TRESORERIE DE LA RESIDENCE DE MUNICH garde la statuette du chevalier St. George. Dans une salle crépusculaire se trouve la statuette équestre comme une vision lumineuse. Cette représentation du chevalier tuant le dragon est devenue bien plus le centre de la collection de bijoux que tous les autres joyaux de la couronne: «témoignage de représentation princière et en même temps de croyance profonde». Le chef d'œuvre a été créé à la fin de la Renaissance, au temps de la construction de l'église St. Michel à Munich avec sa superbe façade. Le piédestal de la statuette est d'argent doré; les figures sont bosselées d'or pur; le cheval est sculpté d'agate, l'épée de cristal de roche. Pour le décor riche et ornemental on a employé 2300 diamants, 400 rubis, 200 perles ainsi que des émeraudes et des saphirs qui attirent la vue.

DIE ALTE PINAKOTHEK IN MÜNCHEN zählt zu den sieben bedeutendsten Gemäldegalerien der Welt. Sie darf sich rühmen, die umfangreichste Rubens-Sammlung zu besitzen; ihre Glanzstücke sind „Das Jüngste Gericht", „Der Höllensturz der Verdammten", „Die Amazonenschlacht" . . . Zu Rubens' meist reproduzierten Werken gehört „Der Raub der Töchter des Leukippos" (Bild). Der aus Bewegung und Gegenbewegung komponierte Bildaufbau, die dramatischen Gesten und Wendungen der mythischen Gestalten sind eine einzige Dokumentation des Begriffs „Barock". Der Kenner wird am längsten vor den Rubens-Skizzen zur „Medici-Folge für das Palais du Luxembourg" verweilen, weil sie ungleich ursprünglicher als die in der Werkstatt und mit Zutun der Gesellen entstandenen großen Gemälde die Handschrift des Meisters, seinen genialen Entwurf erkennen lassen.

THE ANCIENT PINAKOTHEK IN MUNICH is one of the seven most important picture-galleries of the world. It boasts of the most extensive collection of paintings by Rubens, its culminating works are: "The Last Judgement", "The Descent of the Doomed into Hell", "The Battle of the Amazons" . . . One of the most often reproduced works of Rubens is "The Abduction of the Daughters of Leukippos" (illustration). The structure of the picture, composed of movement and counter-movement, the dramatic gestures and turns of the mystical figures are a unique document of the "baroque" conception. The expert will take his time to view the Rubens-sketches, which are part of the "Medici-series for the Palais du Luxembourg", for they are showing the handwriting of the great artist himself, they show the genius of his drafting; they did not originate from his workshop with the assistance of his companions.

L'ANCIENNE PINACOTHEQUE DE MUNICH est une des sept galeries de peinture des plus considérables du monde. Elle peut se vanter de posséder la collection la plus volumineuse d'œuvres de Rubens, dont le clou sont «Le Tribunal du dernier Jour», «La Chute des Condamnés à l'Enfer», «La Bataille des Amazones» . . . Aux œuvres les plus souvent reproduites de Rubens on peut compter «Le Rapt des Filles de Leukippos» (illustration). La construction du tableau, créé de mouvement et de contre-mouvement, les gestes et le maintien des personnages mythiques sont un document unique de la défination du «baroque». Le connaisseur va être absorbé le plus longtemps devant les croques de Rubens, une partie de la «série de Medici, destinée pour le Palais du Luxembourg», parce qu'elles font connaître le dessin genial du grand maître, pendant que d'autres chef d'œuvres furent peints dans son atelier avec l'aide de ses assistants.

DAS MÜNCHENER OKTOBERFEST ist ein Weltereignis, ganz bestimmt für den Tourismus. Reisen doch viele Leute um den halben Erdball, um für einige Nächte im Jubel und Trubel dieses Bierfestivals unterzutauchen. Aber auch für viele Einheimische ist es ein markanter Punkt im Jahresablauf. Schon um die prächtig aufgezäumten Braurösser vor den vierspännigen Festwagen zu sehen, und wie die großen Brauereien ihre Festzelte aufgeputzt haben, und welche neuen Sensationen und Nervenkitzel die Fahrgeschäfte anbieten, muß man sich durch das Gewirr der Schau- und Schießbuden, der Wurst- und Fischbratereien, der Händler und Gaffer drängeln. Ein Platz im Bierzelt, unter dem ohrenbetäubenden Schmettern der Blasmusik, und natürlich hinter einer gut eingeschenkten „Maß", ist vielen Festbesuchern so wichtig wie ein Platz im Himmel.

THE MUNICH FAIR is a world-wide event, not only in regard of the tourist-industry. There are many people, who travel round the globe, just to dive for a few nights into the racket of this beer-festival. But many citizens of Munich too, think of it as a culmination of the course of the year. To watch the splendidly bridled four horses, yoked to a festive brewer's dray, to admire the way the big breweries have decorated their huge tents and to see the new sensational merry-go-rounds and other nerve-tickling fancy conveyances, one has to worm one's way through the entanglement of shooting booths, and food-stalls, where fried sausages and fried fish are sold, one has to push through the crowd of gaping people and traders. A seat in one of the big beer-pavillons, with its ear-deafening noise of a brass-band and a wellfilled beer-mug, a "Mass", are to many visitors as important as a place in heaven.

LA FOIRE DE MUNICH (OKTOBERFEST) est un événement mondial, certainement en premier lieu pour le tourisme. Beaucoup de monde font même le voyage autour du globe, pour se plonger quelques nuits dans l'animation et l'allégresse du festival de bière. Mais c'est aussi bien une fête culminante au cours de l'année pour les Municiens. Il vaut la peine de voir les quatre chevaux, superbement bridés devant de grandes charettes de bière, ainsi que la pompe avec laquelle les grandes brasseries ont paré et decoré leurs tentes de gala; ou bien les nouvelles sensations et les exitations nerveuses dans les véhicules du transport. Pour tout cela il faut se pousser au travers du pêle-mêle de diverses baraques, où on peut acheter du poisson frit et des saucissons, ou bien tirer à la cible, entouré des vendeurs et des badauds. Une place assise dans une des grandes tentes de débit de bière, avec sa musique assourdissante d'instruments à vent et un pot de biére, un «Mass» bien rempli, est pour beaucoup de visiteurs de la Foire aussi important qu'une place au ciel.

MITTEN IM GESCHÄFTSVIERTEL DER STADT AUGSBURG stehen die Zeugen ihrer großen Vergangenheit: der Perlachturm und das Rathaus des Renaissancebaumeisters Elias Holl. Aber diese Stadt ist noch viel älter: wo die Maximilianstraße wie eine 40 Meter breite Schneise durch die Altstadt schneidet, mündete einst, über die Alpen kommend, die Via Claudia in die römische Kolonialstadt Augusta Vindelicorum.

IN THE MIDDLE OF THE BUSINESS QUARTER OF AUGSBURG the witnesses of the great past of this town are to be found: the "Perlach"-tower and the town hall, built by Elias Holl, architect of the Renaissance. But the town itself is much older; where the Maximilian Street cuts an aisle of 40 meters of width through the city, where in former times the Via Claudia, after crossing the Alps, ran into the Roman colonial town of Augusta Vindelicorum.

AU MILIEU DU QUARTIER DES AFFAIRES D'AUGSBURG on trouve les témoins du passé de cette ville, la tour de «Perlach» et l'hôtel de ville, construit par l'architecte de la Renaissance, Elias Holl. Mais la ville propre est beaucoup plus ancienne; où la rue de Maximilian coupe une laie de 40 mètres de large au travers de la cité, la Via Claudia, traversant les Alpes, débouchait jadis dans Augusta Vindelicorum, ville coloniale romaine.

DIE BAYERISCHEN VOLKSTRACHTEN zu beschreiben, würde eine kleine Bibliothek füllen, so reich ist ihre Vielfalt. Man muß unterscheiden zwischen den nach überlieferten Motiven neu gestalteten Gebrauchstrachten und den historischen, die das Trachtensterben des 19. Jahrhunderts überlebten. Hier ist eine Tölzer Mädchentracht gezeigt, eine historische Bürgertracht aus einem oberbayerischen Landstädtchen.

TO DESCRIBE THE BAVARIAN NATIONAL COSTUMES would fill a small library, such is their variety. One has to distinguish between the national dresses for daily use, newly shaped from the traditional motives, and the historical costumes, which survived the dying of the old national dresses in the 19th century. This picture shows the national costumes of a girl from Toelz, a small Upper-Bavarian spa; it is historical national costume worn by citizens.

POUR DETAILLER LES COSTUMES NATIONAUX DE LA BAVIERE il faudrait remplir une petite bibliothèque, telle est leur multiplicité. Il faut discerner entre les costumes pour l'usage d'après des motifs traditionels et des costumes historiques, qui ont survecu la perte des costumes nationaux du 19ème siècle. On y montre un costume historique et bourgeois d'une jeune fille de Toelz, petite ville de la haute-Bavière.

DER SCHLIERSEE ist nach dem Dichterwort „eine Freudenträne der Natur". Durch
den Ort pulsiert der Fremdenverkehr. Wer sich Muße gönnt, findet die überall spür-
bare Liebe zum Brauchtum, die Hausmadonnen, die Heiligen als Handwerker, die
bunte alpenländische Kleinkunst. Diese gemütvolle Landschaft hat ganzjährig, als
Sommerfrische und Skiparadies Saison.

THE LAKE "SCHLIERSEE" was called by a poet "a tear of pleasure wept by nature".
The town is feeling the pulsation of the tourist-traffic. A visitor with plenty of time
will be able to find everywhere a visible love for old customs, either the Holy Virgin,
that no house is lacking, or the Saints, represented as artisans, in short, a variety of
alpine small art. In this tender landscape the season never ceases the whole year
round; it is a summer resort as well as a paradise for skiing.

SELON LES POETES LE LAC «SCHLIERSEE» est «une larme de joie de la nature».
L'endroit est traversé par la pulsation du tourisme. Celui, qui s'accorde du loisir,
trouve partout un amour sensible pour les coutumes, les madones de la maison, les
saints en forme d'artisans, en tout de petites œuvres d'un art alpin. Ce paysage, plein
de cœur, est ouvert au tourisme pendant toute l'année, en été comme villégiature, en
hiver comme paradis pour les skieurs.

DER TEGERNSEE hat mit seinen fünf wachsenden Uferorten, mit Jodquelle, Sanato-
rien und Kuranlagen, Spielbank und mondänem Leben internationalen Ruf. Wer ein
wenig am Hang empor und in die Stille steigt, erkennt den Ort, der jahrhundertelang
„eine Pflanzstätte christlicher Kultur" war: das mächtige Viereck des Klosters. Bergwärts führt jedes Tal aus der Weltbad-Atmosphäre in idyllische Einsamkeit.

THE LAKE "TEGERNSEE" with its five growing border towns, its spring of iodine,
its institution of a health resort, its casino and modern life enjoys an international
reputation. By doing some mountaineering the visitor enters the calm solitude. Here
he will find the place that for centuries was the "seminary of Christian culture", the
powerful square of the monastery. Towards the mountains each valley leads from
an atmosphere of the spa of world-wide fame to an idyllic solitude.

LE LAC «TEGERNSEE» au bord duquel se trouvent cinq localités croissantes, se
réjouit d'une renommée internationale avec ses bains médicinaux modernes, sa source
d'iode, son casino et sa vie mondaine. En montant la pente et en entrant dans la tranquillité on reconnait l'endroit, qui pendant des siècles était «la plantation d'une
culture chrétienne», qui est le carré puissant du monastère. En quittant la vallée et en
allant dans les montagnes on change l'atmosphère de la ville d'eaux mondiale avec
la solitude idyllique.

ST. MARTIN IN LANDSHUT, eine Münsterkirche in Backsteingotik, wurde um 1490 begonnen. Die Bürger der altbayerischen Landstadt fühlten sich damals so reich und mächtig, daß sie in der Pracht und Größe ihres Gotteshauses mit dem Veitsdom in Prag, mit dem Steffel in Wien wetteifern wollten. Ein „Meister Hans", den sein Grabstein einfach Hans Steinmetz nennt, sollte die stolze Idee verwirklichen. Die Porträtbüste an der Südwand der Kirche zeigt uns den Mann, der diesen Langbau mit drei gleich hohen Schiffen unter einem gewaltigen Dach entworfen hat. Für den kühn geplanten Turm mußte in die Schwimmsandbänke des Untergrunds ein Pfahlfundament aus Tannenstämmen eingerammt werden. Der Meister hat ihn nicht mehr sehen können. Erst um das Jahr 1500 wurde in 133 Metern Höhe der letzte Stein eingefügt, war Bayerns höchstes Bauwerk vollendet.

AT LANDSHUT THE BUILDING OF ST. MARTIN, a cathedral church, first began in the year 1490. Its style is brick-Gothic. The citizens of this old-Bavarian town felt at that time as rich and as powerful, as to compete in magnificence and size of their house of God with the cathedral St. Vitus at Prague and the "Steffel"-cathedral at Vienna. A certain "Master Hans", on whose tombstone there is only written "Hans Steinmetz" (stone-mason) was to carry out this proud idea. The portrait bust on the southern wall of the church shows the man, who has designed this long building with its three equally high naves under a vast roof. For the boldly projected tower there had to be rammed into the floating sandbanks of the subsoil a number of pilework foundation made of fir trunks. The master was not granted anymore to see his work accomplished. Only about the year 1500 the last stone was inserted at an altitude of 133 meters; the highest building in the whole of Bavaria was completed.

LA CATHEDRALE ST. MARTIN DE LANDSHUT est en brique gothique, dont la construction fut commencée en 1490. Les citadins de cette ancienne ville bavaroise se croyaient alors si riches et puissants, qu'ils désiraient rivaliser leur église avec la magnifique cathédrale de St. Vitus à Prague et la cathédrale de St. Stephan à Vienne. Un certain «Maître Hans» — sur sa pierre tombale on ne peut lire que «Hans Steinmetz» (Tailleur de pierres) — avait eu la mission de réaliser cette fière idée. Le buste sur le mur au sud de l'église représente l'homme, qui a projeté ce long bâtiment avec les trois nefs d'égale hauteur sous un toit énorme. Pour la tour, dont le plan était hardi, un fondement de pilotis consistant de troncs de sapins a été enfoncé dans les bancs de sable flottant du sous-sol. Le maître ne l'a plus vu. Il n'y a qu'en 1500 que la dernière pierre fut placée dans une hauteur de 133 mètres. Ainsi l'édifice le plus haut de la Bavière était accompli.

DIE LANDSHUTER HOCHZEIT fand 1475 statt. Ludwig der Reiche richtete sie für seinen Sohn aus, der die Tochter des Polenkönigs Kasimir heiratete. Es wurde so überschwenglich gefeiert, daß schon die Zeitgenossen von der „Hochzeit des Jahrhunderts" sprachen. Der Kaiser war zu Gast und alles, was im damaligen Europa Rang und Namen hatte. 9000 Pferde und 1100 Musikanten waren im Hochzeitszug. Für öffentliche Speisungen wurden Hunderte von Ochsen, Kälbern, Schweinen und Schafen, Tausende von Gänsen und Hühnern geschlachtet, zentnerweise Gewürze verbraucht. Der Glanz des Festes leuchtet bis in unsere Zeit: alle drei Jahre wird diese Hochzeit mit Umzug, Feldlagern, Volksbelustigung und fröhlichem Essen und Trinken nachvollzogen. Nur 9000 Pferde bringt man im Raketenzeitalter nicht mehr auf die Beine.

THE MARRIAGE OF LANDSHUT took place in the year 1475. Ludwig the Rich gave it for his son, who married the daughter of the Polish king Kasimir. The celebration was so effusive that already his contemporaries called it "the wedding of the century". The emperor was invited and everybody with a rank to his name in former Europe. In the bridal procession there walked 9000 horses and 1100 musicians. Hundreds of oxen, calves, pigs and sheep, thousands of geese and chickens were slaughtered; spices were used by hundred-weights. The splendor of this feast is still gleaming in our time; every three years this marriage is repeated with all its processions, its bivouacs, its public entertainments and merry banquets. But our period of rockets no longer provides 9000 horses.

LE MARIAGE DE LANDSHUT eut lieu en 1475. Louis le Riche l'équipait pour son fils, qui se mariait avec la fille de Kasimir, roi polonais. On a tellement exagéré les fêtes, que même les contemporains parlaient de la «Noce du Siècle». L'empereur fut invité et tous les gens illustres de l'Europe de ce temps. Dans le cortège on comptait 9000 chevaux et 1100 musiciens. Pour l'alimentation publique des centaines de bœuf, veaux, cochons, moutons, d'oies et des poules furent tués; des quintals d'épices furent employés. La splendeur de cette fête brille encore de nos jours; tous les trois ans cette noce est exécutée avec les mêmes cortèges, les mêmes camps, de divertissements populaires et de joyeux banquets. Mais à l'époque de fusées il n'est plus possible de rassembler 9000 chevaux.

REGENSBURG ist eine der altehrwürdigsten Städte in Bayern. Zwar sind die Fundamente der keltischen Siedlung Radaspona noch nicht entdeckt, aber das Rechteck des Römerkastells Castra Regina zeichnet sich heute noch im Stadtplan ab; die Porta Praetoria ist ein Rest davon. Grabungen an der Mauer des Legionslagers brachten Andachtsräume der frühen Christen zutage. Vom mittelalterlichen Reganespurc vermelden die Chroniken Schönheit, Reichtum und Macht. Die Patrizierhäuser müssen damals Wehrtürme gehabt haben wie in den Städten Oberitaliens. Der „Regensburger Pfennig" war von Paris bis Warschau gute Münze. Und die Herren des Reichs fühlten sich so wohl in der Stadt, daß hier 150 Jahre lang der „immerwährende Reichstag" stattfand. Im Schatten des riesigen Doms ist diese Geschichte wie in einem Zauberkreis noch lebendig.

REGENSBURG is one of the most venerable towns of Bavaria. Even if the foundations of the Celtic settlement have not yet been discovered, the rectangle of the Roman citadel is still to be seen on the map of this city; one of its remains is the "Porta Praetoria". Excavations near the wall of the legionars' camp displayed prayer-rooms of the first Christians. The chronicle tells about the medieval "Reganespurc", of its beauty, its riches and its power. Like in the towns of northern Italy the patrician houses of this period must have had military towers. The "Regensburger Pfennig" was valid currency from Paris to Warsaw. And the rulers of the "Reich" took so much pleasure in this town, that for 150 years the "everlasting Reichstag" took place here. In the shadow of the great cathedral the history of this town is still alive like in a magic circle.

RATISBONNE, voilà une de plus vénérables anciennes villes de la Bavière. Les fondements de la colonie celtique «Radaspona» ne sont en effet pas encore découverts, mais dans le plan de la ville le rectangle de «Castra Regina», fort romain, est visible même aujourd'hui; dont la «Porta Praetoria» est un reste. Des fouilles au mur du camp légionnaire ont mis au jour des places de prière des chrétiens primitifs. Les chroniques annoncent, que «Reganespurc», ville moyenâgeuse, était pleine de beauté, de richesse et de puissance. Comme dans les villes d'Italie du nord les maisons patriciennes étaient probablement munis de tours de défense. De Paris à Varsovie le «Regensburger Pfennig» était argent comptant. Parce que les «Maîtres du Reich» trouvaient cette ville-là bien agréable, le «Reichstag perpetuel» a duré cent cinquante ans. A l'hombre de la cathédrale gigantesque cette histoire est encore vivante de façon magique.

34

DER DONAUDURCHBRUCH BEIM KLOSTER WELTENBURG ist eines der eindrucksvollsten Naturschauspiele, die das Reiseland Bayern bieten kann: der Rest
einer gigantischen Urstromlandschaft, scheinbar unberührt von Menschenhand. Und
doch hat es in dieser Enge schon vor 5000 Jahren menschliche Wohnstätten gegeben.
In Höhlen wurden Feuersteinwerkzeuge, Keramikscherben und ein prähistorischer
Schatz gefunden: eine Sammlung schöngeformter Tropfsteinperlen. Nach der Sage soll
sogar eine lederne Hängebrücke über die Donau geführt haben. In den letzten vor-
christlichen Jahrhunderten hatten die Kelten auf dem Michelsberg eine Fliehburg,
meterhohe Schutzwälle, die noch zu sehen sind. An der Stelle dieser „Keltischen
Akropolis" steht heute ein klassizistischer Kuppelrundbau — der Fernblick lohnt den
Aufstieg.

THE BREAK-THROUGH OF THE DANUBE NEAR "WELTENBURG"-MONASTERY
is one of the most impressive spectacles of nature, which Bavaria as a touring-country
can offer; the remains of a gigantic primeval river-landscape apparently untouched
by human hands. But discoveries are giving evidence that 5000 years ago there
existed human settlements amidst the wilderness of woods and rocks. Implements
made of flint were found in caves together with ceramic fragments and a prehistoric
treasure: a collection of beautifully formed pearls of stalactite. It is said that even a
suspension bridge made of leather had crossed the Danube. During the last pre-
christian centuries, the Celts had a citadel on top of the "Michelsberg", with ramparts,
many meters high, which are still to be seen. On the spot where the former "Celtique
Akropolis" was situated, there is to-day a classic dome-shaped circular building. The
reward of the ascent is a lovely view.

LE DEBORDEMENT DU DANUBE PRES DU COUVENT DE WELTENBURG est un
des spectacles des plus impressionants de la nature, que la Bavière puisse offrir au
tourisme; reste originel d'un paysage gigantesque au bord d'une fleuve, il a l'air intact
et jamais touché par la main des hommes. Cependant il y a des trouvailles temoignant
que dans ce désert rocheux et boisé vivaient des colons il y a 5000 ans. Dans des
grottes on a trouvé des outils de silex, des tessons céramiques et un trésor préhisto-
rique, une collection de perles stalactites bien modelées. On dit, qu'un pont suspendu
en cuir a traversé le Danube. Aux derniers siècles avant l'ère chrétienne les Celtes
avaient sur le mont de «Michel» un fort de refuge, des remparts hauts de plusieurs
mètres, qui sont encore visibles de nos jours. Sur la place de «l'Akropolis Celtique»
se trouve maintenant une rotonde avec un dôme en style classique. L'ascension vaut
bien la peine.

DER HOCHALTAR DER KLOSTERKIRCHE ZU WELTENBURG ist ein Werk der ▷▷
bayerischen Barockmeister Cosmas Damian und Egid Quirin Asam. Der eine entwarf
die Pläne zu dem überwältigenden Kirchenraum und die Malereien, der andere schuf
die Bildhauerarbeiten und den Stuck. Es gelang ihnen „ein Zauberstück raffinierter
Kunst" (Dehio). Die Brüder hatten in Rom die Bühnenarchitektur des Jesuitentheaters
studiert. Die Weltenburger St.-Georgs-Gruppe ist trotzdem ein urbayerisches Kunstwerk geworden, volkstümlich und von einer derben Buntheit, die im Rom Berninis
undenkbar gewesen wäre. Der Bühneneffekt des gelben Gegenlichts, das scheußlich
gefleckte Ungeheuer, die Gewänder und Gesten — das alles wirkt zusammen in einem
„theatrum sanctum", einem frommen Schauspiel, das sich mit dem Naturschauspiel
vor der Tür zum grandiosen Erlebnis verbindet.

THE HIGH ALTAR OF THE WELTENBURG MONASTERY is the work of the
masters of the Bavarian baroque, Cosmas Damian and Egid Quirin Asam. One of the
brothers designed the projects to this over-powering churchbuilding and the paintings,
the other created the works of sculpture and stucco. They succeeded in creating "a
conjuring trick of refined art" (Dehio). In Rome the brothers had studied the architecture of scenery of the Jesuitic theatre. Nevertheless the Weltenburg St. George-group
has become a work of art thoroughly Bavarian, it is popular and of hearty bright
colours, which were unthinkable in the Rome of Bernini. The stage-effect of the
yellow opposite light, the terrible spotted monstre, the vestments and gestures, — all
that effects in a "Theatrum sanctum", a pious spectacle, which is combined with the
spectacle before its doors, forming a great experience.

LE MAITRE-AUTEL DE L'EGLISE CONVENTUELLE DE WELTENBURG est un
œuvre des maîtres du baroque bavarois, Cosmas Damian et Egid Quirin Asam. L'un
des frères a dessiné les plans pour l'espace de cette grandiose église et les peintures,
l'autre a créé les sculptures et les œuvres de stuc. Ils réussissent à créer «un tour de
magie d'un art raffiné» (Dehio). Les frères avaient étudié à Rome l'architecture
scénique du théâtre des Jésuites. Le groupe St. George de Weltenburg est tout de même
devenu un chef-d'œuvre bavarois national, et d'un variété de couleurs grossières, chose
incroyable au Rome d'un Bernini. L'effet scénique du contrejour jaune, l'horrible
monstre tacheté, les vêtements et les gestes — tout cela coopère dans un «theatrum
sanctum», un spectacle religieux se combinant avec le spectacle de la nature devant
sa porte dans un événement superbe.

DER BAYERISCHE WALD liegt vor der Grenze Bayerns zur Tschechoslowakei. Zusammen mit dem Böhmerwald bildet er das größte geschlossene Waldgebiet Mitteleuropas. Vor 100 Jahren hörte man die damals noch unwegsame, ein wenig unheimliche Gegend abwertend „Bayerisch-Sibirien" nennen. Nur die Dichter schwärmten von der Großartigkeit der unabsehbaren „Wäldermeere": „Hier weht noch Luft der Urwelt der Schöpfungstage". Bis die ersten Städter — ihrem lauten Industrie-Alltag entfliehend — in den sanften Konturen dieser Landschaft, in ihrer unberührten Natur, ihrer tiefen Stille eine Sommerfrische fanden. Heute ist der Bayerwald von Regensburg (S. 35) bis Passau (S. 43) touristisch erschlossen, mit neuen, aussichtsreichen Bergstraßen, mit Feriendörfern, Sporthotels, Schwimmhallen, Bungalows, mit dem ganzen einfallsreichen Angebot der Reisewerbung — auch für diejenigen, denen das verordnete „Abschalten" am besten in turbulenter Geselligkeit gelingt. Wer aber Waldeinsamkeit, „grüne Höllen", spukhafte Dickichte sucht, der findet sie im „Wald" auch heute noch — so schnell läßt sich seine Urnatur von den Managern nicht unterkriegen. Ziele im Bayerischen Wald: in erster Linie seine Gipfel, Osser, Lusen, Rachel, Arber, die nun — mit Skiliften ausstaffiert — auch als Winterziele interessant sind; die Arberseen (S. 44); der wildzerklüftete „Pfahl", eine einmalige geologische Formation — im Schloß Thierlstein bei Cham ragt das nackte Quarzgestein in die unteren Gemächer hinein; die Mönchsgründungen Chammünster, Metten, Niederalteich; die Drachenstich-Festspiele in Furth im Wald; die Glashüttenstadt Zwiesel, wo den Reisenden die bezaubernden Erzeugnisse der einheimischen Glasbläser entzücken, vom urtümlichen, historischen Schnupftabakfläschchen bis zur phantasievollen Konkurrenz für die Venezianer ...

At the border between Bavaria and the Czechoslovakia spreads THE "BAVARIAN FOREST". Together with the Bohemian Forest it forms the largest compact woodland of Central Europe. 100 years ago this impassable and somewhat sinister country was somewhat slighteningly called the "Bavarian Siberia". Only poets revelled about the vastness and grandeur of the "Seas of Forests". "Here the wind of the very day of creation is still blowing". Only when the first townspeople, — escaping the noisy bustle of their every-day-life, — found a summer resort in the gentle contours of this country, this untouched nature and profound calm was discovered. Nowaday the Bavarian Forest is opened to the tourists from Regensburg (p. 35) to Passau (p. 43). New mountainroads with splendid views have been constructed, villages for holidaymakers, hotels, swimming-pools, bungalows, in short, many results of a lot of propaganda made by the tourists' agencies. Even people, who only can find recreation in the middle of a racket of sociality, can be satisfied. Those, who seek sylvan solitude, "green hells" and haunted thickets, will even in our time come across them in the forest. Its original nature will not subdue as quick as all that to the modern managers. Most important destinations are the summits of the Bavarian Forest: Osser, Lusen, Rachel, Arber, now even during the winter season interesting for tourists, as they are newly equipped with ski-lifts. There are the lakes "Arberseen" (p. 44) as well as the clefted "stake", a former geological formation. At Thierlstein, a castle near Cham, the naked rock of quartz projects into the lower apartments. The monasteries of Chammuenster, Metten, Niederalteich, and last not least the festivals of the "Stabbing of the Dragon" at Furth im Wald must be mentioned. And there is Zwiesel, the ancient glassworks-town, where local glassblowers produce objects of art like original historical snuffboxes as well as other masterpieces in competition with the artists of Venice.

A la frontière entre la Bavière et la Tchécoslovaquie se trouve LA «FORÊT BAVA-ROISE». Avec la «Forêt Bohémienne» elle forme le plus grand territoire boisé cohérent de l'Europe centrale. Il y a cent ans, qu'on appelait l'endroît alors encore impraticable et inquiétant, la «Sibérie Bavaroise», de manière devalorisante. Uniquement les poètes s'enthousiasmaient pour la grandeur des immenses «Mers de Forêts». — «Voici une atmosphère comme au premier jour de la création.» Jusqu'au moment, où les premiers habitants des grandes villes, — fuiant la bruyante animation quotidienne — trouvaient une villégiature dans ce paysage des doux contours, de sa nature intacte et sa tranquillité profonde. Aujourd'hui la Forêt Bavaroise est ouverte à l'exploitation touristique de Regensburg (p. 35) à Passau (p. 43). Il y a des nouvelles routes montagneuses, de belles vues, villages de vacances, hôtels sportifs, établissements de natation, bungalows, en tout, une grande offre, présentée par la réclame de telle manière, qu'en tout cas le voyageur peut se reposer, soit-il dans une tranquillité parfaite ou au milieu d'une animation sociable. Celui, qui préfère la solitude des forêts, des «enfers verts», des fourres fantomatiques, il les trouve dans la «Forêt» même de nos jours. Il est impossible aux hommes d'affaire dynamiques à réussir si vite de subjuguer la nature élémentaire. Buts recommandables dans la «Forêt Bava-roise»: Osser, Lusen, Rachel, Arber, des monts également interessants en hiver, — puisqu'ils sont maintenant accoutrés avec des ascenseurs pour les skieurs. Aussi les lacs d'Arber (p. 44) le «Pfahl» (pilotis) crevassé — une ancienne formation géologique. Au château de Thierlstein près de Cham, la roche nue de quartz s'élève dans les salles inferieures. Il faut encore mentionner les fondations religieuses Chammuenster, Metten, Niederalteich; les festivals du «Dragon-coupe» à Furth im Wald; Zwiesel, la ville de verrerie, où les voyageurs peuvent admirer les produits charmants des souffleurs de verre indigènes. On y trouve objets comme des tabatières historiques et primitives et des articles, pleine de fantaisie, concurrence pour la verrerie de Venise.

BEI PASSAU verläßt die Donau, die aus der Nachbarschaft Straßburgs kommt, das Bayernland für die Reise nach Wien. Vorher nimmt sie zu Füßen des Dombergs den grünen Inn auf (der das Engadin und Tirol gesehen hat) und bei der Veste Oberhaus die schwarze Ilz (die in den Wäldern an der böhmischen Grenze entspringt). Als wären Schönheiten aus vieler Herren Länder zusammengetragen, so sieht auch diese Drei-flüssestadt aus: Altbayern, verbrämt mit langobardischer Romanik, böhmischer Gotik, italienischem Barock, französischem Rokoko, Wiener Klassizistik . . . International geht es im Donauhafen zu, berührt dieser Binnenschiffahrtsweg doch sieben Anlieger-staaten. Eine Bootsfahrt entlang der Wasserlinie offenbart das „südliche" der Stadt am Strom (im Bild: Am Innkai), die der Globetrotter Alexander von Humboldt zu den sieben schönsten der Welt zählte.

NEAR PASSAU the Danube, which has its source in the neighbourhood of Strass-bourg leaves Bavaria for its journey to Vienna. At the feet of the "Domberg", the hill with its cathedral, it takes up first the "green" Inn (which has seen the Engadin and the Tyrol) and then, near the fortress "Oberhaus" it is joined by the "black" Ilz (which has its source in the forests near the Czechoslovakian border). The town of the three rivers looks as if numerous beauties of many countries have been brought together in one single place: there is Old-Bavaria decorated in a Romanesque Longo-bard style, the Bohemian Gothic, an Italian baroque and French rococo and last not least a classicist Viennese style . . . At the port of the Danube we find an international life, as this route of inland navigation passes seven neighbour countries. A boat-drive along the border of the river shows the "southern type" of the town at the stream (picture: at the "Inn"-quay), which the scientist Alexander von Humboldt thought one of the seven most beautiful towns in the world.

PRES DE PASSAU le Danube, qui a sa source au voisinage de Strasbourg, quitte la Bavière pour son voyage à Vienne. Aux pieds du mont «Domberg», son affluent, l'Inn «vert» (qui a vu l'Engadine et le Tyrol) se jette dans le Danube, et près du fort «Ober-haus» l'Ilz «noir» (une rivière, qui prend sa source dans les forêts près de la frontière bohémienne) s'y diverse également. La ville de trois rivières ressemble aux beautés rassemblées d'une multitude de pays: l'ancienne Bavière, chamarée avec un style roman-langobardique, le style gothique bohémien, le baroque italien, le rococo fran-çais et le style classicistique viennois . . . Au port du Danube domine une animation internationale; cette route de navigation fluviale passe donc sept pays voisins. Une promenade en bateau le long de la ligne de flottaison révèle le «caractère du sud» de la ville sur le fleuve. (L'illustration montre le quai de l'Inn). Selon le naturaliste Alexander von Humboldt Passau est une des sept plus belles villes du monde.

DER KLEINE ARBERSEE IM BAYERISCHEN WALD liegt scheinbar meilenweit entfernt von aller Geschäftigkeit der Welt. Er gleicht einem Zauberspiegel, in dem ein Stück jener Zeit eingefangen und bewahrt ist, in der das Weltbild des Menschen noch geprägt wurde von den Urkräften einer ungezügelten Natur, von Geheimnis und Dämonie. Der uralte Baumbestand ist streng gehütetes Naturschutzgebiet. Vom Sturm gefällte Baumriesen sind überwuchert von üppiger Sumpfflora, die den Botaniker mit Lust in den glucksenden Moorboden stelzen läßt. Einem der bedeutendsten Erzähler deutscher Sprache, Adalbert Stifter, wurde „der große Wald" mit seinem heimlichen und unheimlichen Geschehen zur Landschaft seiner Dichtung. „Ich bin mit unaussprechlich herrlicher Waldluft bewirtet . . ." schrieb er. Bei den Arberseen kann es der Reisende nacherleben.

THE SMALL "ARBER" LAKE IN THE BAVARIAN FOREST seems to be removed for miles from all bustle of the world. It looks rather like a magic mirror, in which a part of the ancient times has been captured and preserved, when man's life was dominated by the primitive powers of an almighty nature, by mystery and daemonic elements. The ancient amount of timber is a wild-life reserve strictly guarded. Gigantic trees are overgrown by exuberant march-plants, which makes the botanist march with pleasure over the gurgling marshy ground. Adalbert Stifter, one of the most famous writers of the German language, made the "great Forest" with its secret and uncanny events the landscape of his poetry. "I am well served with an unspeakably delicious woodland-air . . ." he had written. At the "Arber"-lakes the traveller might enjoy this experience.

IL SEMBLE QUE LE «PETIT LAC d'ARBER» dans la «Forêt Bavaroise» soit situé loin de toute activité du monde. Comme dans un miroir magique il a saisi un reste de vieux temps, qu'il y garde; un temps pendant lequel l'idéologie de l'homme était encore en train d'être créé par des forces élémentaires d'une nature effrénée et par des mystères et des démons. L'ancien peuplement forestier est pays protectorat de la nature et il est sevèrement gardé. Des arbres gigantesques abbatus par des tempêtes sont envahis d'une flore de marais énorme, qui fait marcher le botaniste avec plaisir dans le terrain marécageux. Adalbert Stifter, un des narrateurs les plus importants de la langue allemande avait choisi «la grande Forêt» avec ses événements clandestins et inquiétants pour le paysage de sa poésie. Il avait écrit: «Je suis regalé de l'air boisé inexprimablement délicieux . . .» Au bord des lacs d'Arber le voyageur peut comprendre ces sentiments.

BURGHAUSEN AN DER SALZACH ist „die Stadt unter der Erde" — so schilderte Napoleon treffend die landschaftliche Situation: eine riesige Burg, die wie ein komplettes Gemeinwesen einen ganzen Höhenzug bedeckt; in der Tiefe — mit dem Fluß zwischen den Burgberg und das österreichische Hochufer versenkt — die Stadt, „wie aus einem altdeutschen Gemälde herausgeschnitten". Burg und Stadt sind einen ausgedehnten Rundgang mit der Kamera wert, denn diese alten Handels- und Lagerplätze an Inn und Salzach haben ihre eigene „lateinische" Schönheit, und gerade die Wasserfront von Burghausen sieht aus, als würden die Flüsse südliche Atmosphäre herantragen und an ihren Ufern anschwemmen. Einzelne Bauwerke — wie das ehemalige kurfürstliche Regierungsgebäude am Stadtplatz — gehören zum Schönsten, was man auf der Bayernfahrt „mitnehmen" kann.

BURGHAUSEN ON THE SALZACH is an "underground town" — that is how Napoleon had aptly described the provincial location: a gigantic citadel covering a whole hill-range like a complete community; deep below, — sunk with the river between the hills and the Austrian high bank, — the town is situated, "as if cut out of an old German picture". It is worth while to walk around the fortress and the town with a camera, for these old trading centres and storage places on the rivers Inn and Salzach have their own "latin" beauty, and the riverfront of Burghausen looks as if the rivers would bring a southern atmosphere and deposit it at their borders. Several buildings — like the former electoral governmental building on the market-square — belong to the most beautiful sights of this trip across Bavaria.

BURGHAUSEN SUR SALZACH est «la ville sous la terre» — c'est comme Napoleon avait exactement décrit la situation du paysage. Une citadelle colossale, couvrant comme une complète communauté toute une chaîne de collines; à l'abîme, — entre le mont de la citadelle et au rive autrichienne, voilà la ville propre dont au milieu se trouve la rivière, — «qui ressemble à un tableau d'une ancienne ville allemande». Il vaut bien de la peine de faire un tour étendu avec le caméra; parce que ces vielles places de commerce et les dépôts sur l'Inn et Salzach sont d'une beauté «latine» et justement le rivage de Burghausen a l'air d'une atmosphère du sud apportée par les rivières. L'ancien édifice gouvermental sur la place municipale, — c'est un de plus beaux points dont on peut jouir pendant ce voyage à travers la Bavière.

BAYREUTH gilt heute als die Stadt Richard Wagners. Für die Verehrer des Meisters ist das Festspielhaus mit dem „mystischen Abgrund" der Orchesterschlucht ein Heiligtum. Viel früher schon zog es schaulustige Reisende in die „tolle Eremitage" (Bild) der Markgräfin Wilhelmine. Ihr Bayreuther Rokoko war ein letztes Aufflackern höfischen Glanzes vor der Flutwelle der Großen Revolution.

Nowadays BAYREUTH is called the town of Richard Wagner. To those who worship the great master the house of festival with its "mystical gorge", the orchestra-pit, is a sanctuary. Even much earlier curious travellers were attracted by the "mad hermitage" of the margravine Wilhemine (picture). Her Bayreuth-rococo was the last flaring up of a courtly splendour before the tidal wave of the Great Revolution.

BAYREUTH de nos jours est la ville de Richard Wagner. Pour des adorateurs du grand maître le théâtre du festival avec son «abîme mystique» de l'avant-scène est un vrai sanctuaire. Mais beaucoup plus tôt des voyageurs curieux furent attirés par l'Ermitage «folle» de la margrave Wilhelmine (illustration). Son rococo de Bayreuth est un dernier élan de la pompe de la cour avant le raz de marée de la grande Revolution.

BAD BERNECK ist die Pforte des Fichtelgebirges, das im Bayreuther Kessel als lockendes Waldziel am Horizont steht. Der Dichter Jean Paul schrieb, daß hier „die Zeit und die Natur groß und allmächtig nebeneinander ruhen", und der Musiker Carl Maria von Weber fand diese Landschaft „ganz gemacht für Maler". Die Gegenwart hat sie mit Park- und Badeanlagen vollends als einen Gesundbrunnen erschlossen.

BERNECK, a spa, is the gate to the mountains of the Fichtelgebirge, as an attracting wooded destination it is situated at the horizon of the Bayreuth-hollow. The poet Jean Paul had written, that here "time and nature rest in coexistence in a great and almighty way", and the musician and composer Carl Maria von Weber thought this landscape "entirely made for painters". At the present time it has become a medicinal spring with its parc-grounds and its curing-establishments.

BERNECK, ville d'eaux, est la porte du «Fichtelgebirge», des montagnes, qui se trouvent au fond du chaudron de Bayreuth; c'est un but boisé très attrayant. Le poète Jean Paul avait écrit, qu'«ici le temps et la nature reposent l'un à côté de l'autre dans une manière énorme et puissante», et le compositeur Carl Maria von Weber a trouvé ce paysage «tout fait pour des peintres». Avec ses parcs et sa station thermale moderne Berneck est aujourd'hui une place appropriée pour le rétablissement.

50

DER HENKERSTEG IN NÜRNBERG gehört zu den typischen Stadtansichten, die ▷
auf den bekannten Lebkuchenbüchsen in aller Welt bekannt wurden: die Kaiserburg,
das Haus Dürers, die Rundtürme, zu denen der Meister der Maße die Proportionen
entwarf. Aber in dieser alten Kulturstadt halten sich historische Bauten und Beispiele
modernster Architektur und Raumkunst die Waage — das ist ihr aparter Reiz als
Reiseziel.

ONE OF THE TYPICAL VIEWS OF NUREMBERG is the "Henkersteg" (hangman's
path); it became well-known in the whole world, as it is painted on the famous tin-
boxes containing the delicious gingercake. It shows the imperial palace, the house
of Albrecht Duerer and the round towers, of which the master designed the proportions.
But in this old town of a traditional culture historical buildings and examples of
the most modern architecture are held in equilibrum. This fact makes the town
so very much attractive.

LE «HENKERSTEG» (SENTIER DU BURREAU) A NUREMBERG est une vue ty-
pique de cette ville, on la trouve sur les boîtes de pain d'épice, connues dans tout le
monde: on y voit la citadelle impériale, la maison d'Albrecht Duerer et les tours
rondes, dont le maître avait tracé les proportions. Dans cette ancienne ville cultu-
relle des édifices historiques et des œuvres d'une architecture la plus moderne existent
en bonne harmonie conciliante. Voici un but de voyage fort attrayant.

DAS „SCHLÜSSELFELDERSCHE SCHIFF", ein Tafelaufsatz, gehört zu den Kleinodien ▷▷
des Germanischen Nationalmuseums in Nürnberg. Die bis ins Detail modellgetreue
Nachbildung eines jener stattlichen Großsegler, die um 1500 die Wagnisse und Aben-
teuer der Entdeckerfahrten bestanden, mag im Patrizierhaus Ausdruck des neuen,
stolzen Lebensgefühls der Renaissance gewesen sein.

THE "SCHLÜSSELFELDERSCHE SCHIFF", a centre piece formed like a ship, belongs
to the trinkets kept by the Germanic National Museum of Nuremberg. It is a detailed
mock-up of one of these big sailing vessels, which met about the year 1500 with
adventures and the risks of exploring tours. For the patrician household it might
have been the expression of a new and proud sense of life of the Renaissance.

LE SURTOUT DE TABLE, LE «SCHLUESSELFELDERSCHE SCHIFF» (en forme d'un
bateau) est un des objets précieux dans le musée Nationale Germanique à Nuremberg.
La copie exacte d'un de ces grands voiliers, qui vers l'an 1500 avaient risqué de
diverses aventures et des voyages de découverte, doit avoir été dans la maison patri-
cienne l'expression d'une nouvelle sensation vitale et fière de la Renaissance.

WOCHENENDLANDSCHAFT DER NÜRNBERGER ist die Fränkische Schweiz; die „Felsendörfer" (im Bild Tüchersfeld) sind ihre Visitenkarte. Wie aus der Spielzeugschachtel sind die Häuser in die Dolomitwirrnis gestreut, und das kann der Tourist vom Autofenster aus auf seinen Film bannen. Natürlich kann er sich auch, wie der verliebte Dichter Jean Paul, auf der Höhe lagern und um seinen Rastplatz zum Andenken für die Nachwelt Zimtrosensamen aussäen. Dies ist auch ein Land der Burgen. Felskegel sind gekrönt von verfallenden Ruinen und stolzen Geschlechtersitzen, in denen das Leben noch grünt. Im Souterrain bietet diese Landschaft eine eindrucksvolle Höhlenschau. Mancherorts haben die Stalaktiten und Stalagmiten, die Tropfkerzen der Erdgeschichte, in den unterirdischen Hallen einen Zaubergarten aufgebaut.

WEEK-END DESTINATION FOR THE CITIZENS OF NUREMBERG is the "Switzerland of Franconia". The "rock-villages" (the picture: Tüchersfeld) are its visiting-card. The houses are scattered in this dolomitic confusion like play-boxes, here the tourist can take his photos out of the car-windows. Like the enamoured poet Jean Paul he too might of course rest on top of the hill and sow about his resting-place some lemon-pips as souvenir for posterity. There are many castles and strongholds in this country. The cone-shaped rocks are crowned with decaying ruins and proud family-residences, between their ruble there is still a green vegetation. Under ground this landscape shows some spectacular caves. At some places the stalactites and the stalagmites, the so-called dripping candles of geology, have built an enchanted garden in these underground halls.

BUTS D'EXCURSIONS DU WEEK-END EST POUR LES CITOYENS DE NUREMBERG la Suisse franconienne, dont les «villages sur roche» (l'illustration: Tuechersfeld) sont la carte de visite. Comme d'une boîte à jouets les maisons sont dispersées aux rochers confus, et le touriste peut photographier tout cela de la fenêtre de son auto. Comme Jean Paul, le poète amoureux, le voyageur peut camper aux sommets et semer autour de son halte des pepins de citrons comme souvenir pour la postérité. De même c'est un pays de citadelles. Des rochers coniques sont couronnés de ruines tombées en décadence et de fiers domiciles d'anciennes familles; entre les débris la verdure pousse encore. Au souterrain de ce pays on trouve des grottes impressionantes. Parfois les stalactites et les stalagmites, les bougies gouttantes de la géologie, ont construit un jardin magique dans les salles souterraines.

DAS WINTERBILD VON NÜRNBERG weckt Erinnerungen an den Christkindlmarkt, an weihnachtliche Gassenidylle, an stimmungsvolle Behaglichkeit in Bratwurstküchen und Weinstuben. Aber dieses beschauliche Nürnberg, in einer süddeutschen Straßenspinne gelegen, war von alters her europäischer Handelsplatz, geachtet um seinen Gewerbefleiß. Es begann mit den Flußmühlen an der Pegnitz, mit Drahtziehern und Bleistiftmachern. Mit Zweirädern, Lebkuchen und Spielzeug wurde die Stadt am volkstümlichsten bekannt — die Nürnberger Spielwarenmesse ist einmalig in der Welt. Aber an jedem Punkt im Bannkreis der Burg ist auch Erinnerung an die großen Meister und Geister: Adam Kraft, Veit Stoß, Albrecht Dürer, Hans Sachs, Wilibald Pirckheimer ... In Nürnberg konstruierte Peter Henlein die erste Taschenuhr, baute Martin Behaim seinen „Erdapfel", den ersten Globus ...

THE PICTURE OF NUREMBERG IN WINTER TIME calls back memories of the "Christkindl-Markt" (Christmas Fair), of narrow streets at Christmas time, of cosy corners in kitchens, where fried sausage is served, and of wine-taverns. But this contemplative Nuremberg, situated like a spider in a web of south-German highways, has been of old a European trading centre, respected for its industry. It began with the mills on the river "Pegnitz", with wiredrawers and pencilproducers. The town became popular with two-wheeled vehicles, gingercake and playthings, — the Nuremberg Fair of toys is the only one of its kind in the whole world. And each point in the boundary of the citadel reminds of the great masters of the town: Adam Kraft, Veit Stoss, Albrecht Duerer, Hans Sachs, Wilibald Pirckheimer ... In Nuremberg Peter Henlein constructed his first pocket-watch and Martin Behaim built his "Apple of the Earth", the first globe.

LE TABLEAU HIVERNAL DE NUREMBERG éveille des souvenirs au «Christkindl-Markt» (marché de Noël); on y pense aux ruelles idylliques au temps de Noël, à l'ambiance aisée dans les cuisines où on sert des saucissons grillés, et aux taverns. Mais cette ville contemplative située au milieu d'un réseau formé des routes de l'Allemagne du sud, était dans le vieux temps une place de commerce européenne, estimée pour son industrie. Cela avait commencé avec les loulins au bord de la rivière «Pegnitz», avec des tréfileurs et avec la fabrication de crayons. Par les vehicules à deux roues, le pain d'épice et les jouets la ville est devenue célèbre de façon la plus populaire, — la Foire de jouets de Nuremberg est un événement unique au monde. Mais autour du château chaque place rappelle les grands maîtres; Adam Kraft, Veit Stoss, Albrecht Duerer, Hans Sachs, Wilibald Pirckheimer ... C'était à Nuremberg, que Peter Henlein avait construit la première montre, et Martin Behaim y a construit sa «Pomme de la Terre», le premier globe terrestre.

DAS SCHLOSS WEISSENSTEIN OB POMMERSFELDEN — aus dem grünen Bauernland hell aufschäumendes Barock — gehört zu den gewaltigsten Pronfanbauten jener Epoche. Der Mitteltrakt birgt das berühmte Treppenhaus, das der Bauherr, Lothar Franz von Schönborn, Bamberger Fürstbischof und Mainzer Kurfürst, selber entworfen hat. Er war ein typischer Vertreter jener bauwütigen Zeit, und verstand von Architektur und Statik nicht weniger als die Professionellen. Als dann der große Dientzenhofer, der Bamberger Hofbaumeister, auf den Plan trat, mußte er die ganze Schloßanlage um diese fürstliche Mitte herumkomponieren. Das von monumentalen, doch in ihrer verspielten Ornamentik elegant erscheinenden Baugliedern getragene Gewölbe malte der Schweizer Eyß mit einer Allegorie der vier Erdteile aus (denn Australien war Anno dazumal noch nicht entdeckt).

THE CASTLE "WEISSENSTEIN OB POMMERSFELDEN" — rises out of the green landscape in a pure baroque style, it is one of the most powerful profane buildings of this period. In its centre there is the famous well of the staircase, designed by the owner-builder himself, Lothar Franz von Schoenborn, bishop of Bamberg and elector of Mainz. He was a typical representative of this time of ardent building activity, and he understood as much as a professional about architecture and statics. Later it became the task of the great architect of the court, Dientzenhofer, to build the whole of the castle round this centre constructed by the princely builder. The arched vault supported by monumental links, seemingly elegant with its playful ornaments, was painted by Eyss, a Swiss painter; it represents an allegory of the four continents. (Australia had not yet been discovered.)

LE CHATEAU DE «WEISSENSTEIN OB POMMERSFELDEN» en style baroque, — qui s'élève du paysage vert, — est un des plus grands bâtiments profanes de cette époque. Au part centrale se trouve la célèbre cage d'escalier, projeté par le propriétaire Lothar Franz von Schoenborn, prince évêque de Bamberg et électeur de Mayence. Comme représentant de ce temps d'activité du bâtiment très zelée, il s'y connaissait en architecture et en statique tout aussi bien que les professionnels. Plus tard le grand architecte de la cour de Bamberg, Dientzenhofer, fut engagé à construire tous les établissements du château autour du centre princier. La voûte est portée par des parties monumentales et des ornaments légers et élégants. Peinte par Eyss, artiste Suisse, elle montre une allégorie de quatre continents. (A ce temps-là l'Australie n'était pas encore découverte.)

IN MILTENBERG kann man durch das Mittelalter schlendern. Fachwerk — das war einmal die Art zu bauen. Aber wie die Baumeister und Zimmerer das architektonisch bedingte Gerüst zur Zierde des Hauses zu gestalten wußten, das ist hier wie in einem Freilichtmuseum ausgestellt. In manchem der alten Gebäude wohnt ein Stück merkwürdiger Geschichte: So war in der Brauerei „Zum Kaltloch" schon in gotischer Zeit eine Synagoge. In einem anderen Haus springt noch die Quelle, die das „Judenbad" heißt. Das „Gasthaus zum Riesen" war eine Fürstenherberge; darin konnten hundert Pferde samt Wagen eingestellt werden. Wo im Bauernkrieg Götz von Berlichingen, der Ritter mit der eisernen Hand Quartier nahm, werden heute die traditionellen „Roßäppel" serviert — in einer Kupferkasserolle, die auf der Mistgabel an den Tisch getragen wird.

AT THE SMALL TOWN OF MILTENBERG the traveller is able to stroll through the Middle Ages. The framework is the style of architecture of this epoch. How the architect and the carpenter employed the frame, not only as architectonic support but as an ornament of the house itself, is shown here like in an open-air museum. In some of the old buildings there still lives a piece of strange history: In the "Kaltloch"-brewery for instance there was already a synagogue to be found at the Gothic period. At the interior of another house there still flows a spring, which is called the "Bath of the Jews". The "Giant's Inn" was a princely lodging, where 100 horses together with waggons and coaches could be sheltered. Where during the peasants' war Goetz von Berlichingen, the knight with the "iron hand" took up quarters, to-day a traditional dish called "Rossaeppel" (horses' droppings) is served in a copper stewpan, which is carried to the table on a dung-fork.

À MILTENBERG on peut se promener à travers du moyen âge. Le cloisonnage — c'était un style d'un certain période. Mais de quelle manière les architectes et les charpentiers ont façonné cet échafaudage nécessaire pour la construction, qu'il fut une décoration de la maison, on peut y voir comme dans un musée de plein air. Dans plus d'un de ces bâtiments anciens on trouve une pièce d'histoire curieuse: Ainsi au temps gothique se trouvait une synagogue dans la brasserie «Zum Kaltloch». Dans une autre maison la source y coule encore, qu'on appellait «le bain des Juifs». L'auberge «Au Géant» était un gîte princier; il y avait assez de place pour 100 chevaux avec des diverses voitures. Où pendant la guerre paysanne logeait Goetz von Berlichingen, le chevalier avec la main de fer, on y sert encore de nos jours un repas traditionnel, les «Rossaeppel» (fiente de chevaux) dans une cocotte de cuivre, qu'on apporte à table sur une furche à fumier.

DER SPESSART ist — abseits der großen Verkehrswege — auch heute noch das romantische Waldgebirge, das in die Literatur als ein Schauplatz unheimlicher Abenteuer- und Räubergeschichten einging. Mittenhindurch schwingt sich in eleganter Trassenführung das weiße Band der Autobahn Frankfurt—Würzburg—Nürnberg. Sie zählt zu den schönsten Autoreiserouten Europas, aber auch zu den technisch interessantesten. Von ihren 32 Brücken schwingt sich die größte 720 Meter weit und in 70 Meter Höhe über das Haselbachtal. Dort ist der Scheitelpunkt der Gebirgsstrecke. Dort stand das „Wirtshaus im Spessart" der Gruselmärchen, die in der Atmosphäre von Rasthaus, Motel und Touristik-Informationszentrum als stimmungsvolle Schmunzelgeschichten weiterleben. Was wäre eine Spessartfahrt ohne Reiseromantik.

OFF THE LARGE THOROUGHFARES THE SPESSART is situated and even to-day the woodland and the mountains are full of romantism; as scene of sinister stories of adventure and robbers it has found its place in literature. Through its midst runs the white ribbon of the motor-highway Frankfort—Wuerzburg—Nuremberg. It is not only one of the most beautiful touring-routes in Europe but also one of the most interesting in a technical way. There are 32 bridges, the biggest crossing the "Haselbachtal" at 720 m. of width and 70 m. of altitude. Here is the vertex of the mountain-tract. In former times the "Spessart Inn" was situated here, scene of many thrilling stories, which are still living as funny tales in an atmosphere of resthouses, motels and touring-information centres. No Spessart-trip without its travelling romance.

LES MONTAGNES BOISEES DU SPESSART, qui se trouvent à part des grandes voies de communication ont gardé jusqu'aujourd'hui leur romantisme; elles sont entrées dans la littérature comme une scène de sinistres histoires de brigands et d'aventure. A travers de ce paysage mène la chaîne blanche de l'Autoroute de Frankfourt—Wuerzburg—Nuremberg. C'est un de plus beaux itinéraires de l'Europe, aussi qu'un de plus intéressants à l'egard de la technique. Le plus grand de ses 32 ponts s'élève dans une hauteur de 70 mètres sur la vallée de «Haselbach». Voilà le sommet de la chaîne des montagnes. C'était l'endroit, où l'«Auberge au Spessart» était située, une source de contes horribles et surnaturels, qui en outre vivent de nos jours au milieu d'une atmosphère d'haltes, motels et des centres d'information touristique. Aucune excursion au Spessart sans un certain romantisme.

DIE ROMANTISCHE STRASSE beginnt im Weinland am Main, bei den Brücken-heiligen in der Bischofsstadt Würzburg (S. 68, 70, 72). Im Tal der Tauber berührt sie Bad Mergentheim, das alte Weikersheim mit der sehenswerten Residenz, Riemen-schneiders schönstes Altarwerk in der Dorfkirche zu Creglingen. Rothenburg (S. 76, 77) ist wohl die meistgenannte Station dieses Reiseweges, geradezu der Inbegriff deutscher Städteromantik. In Feuchtwangen (S. 66) paart sich stilreine Romanik zur Sommer-festspielatmosphäre. Aber auch die Bauernstadt Dinkelsbühl und das wehrhafte Nördlingen — das man auf der mit 18 Türmen gespickten Stadtmauer umkreisen kann — haben ihr mittelalterliches Gesicht bis heute bewahrt, sind wahre Schatz-kästlein malerischer Motive, verträumter Gassen und Winkel. Unsere Route durch-quert 24 Kilometer weit den Rieskessel, den in Urzeiten der Einschlag eines Riesen-meteoriten zurückließ: wo im Bauernland das Gestein des Kraterrandes zutage tritt, übten Astronauten den Mondspaziergang. Von weither kommen interessierte Gäste in die mächtige Harburg über der gleichnamigen Stadt, um die unerhört reichen Kunstsammlungen der Fürsten zu Oettingen-Wallerstein zu bewundern. In Donau-wörth setzen wir über den Strom und kommen in das 2000jährige Augsburg (S. 24), die einzige Großstadt an unserem Wege. Durch das bürgerstolze Stadtbild von Lands-berg und das Landstädtchen Schongau führt dann die Reise zu einem Dreiklang von Kirchenschönheit: Rottenbuch, Steingaden und „das Wunder in der Wies" (S. 120). Im Anblick der Alpen erreicht die Romantische Straße ihr Ziel: bei der alten Stadt Füssen (S. 124) inmitten der Allgäuer Berge, in einem Kranz herrlicher Seen. Die Königsschlösser Neuschwanstein (S. 125) und Hohenschwangau setzen die letzten Glanzpunkte an diesen in allen Reisebüros der Welt bekannten und plakatierten Reiseweg.

THE ROMANTIC ROAD begins at the wine district of the Main near the saints of stone on the bridges of the ancient episcopal town of Wuerzburg (p. 68, 70, 72). In the Tauber-valley it passes Mergentheim, a well-known spa, and Weikersheim with its remarkable residence. At Creglingen, in its little village-church the famous altar of Riemenschneider is to be seen, it is one of the master's most beautiful work of art. No station of this road is mentioned more frequently than Rothenburg (p. 76, 77), the essence of romantic towns in Germany. Feuchtwangen (p. 66) combines a pure Romanesque style with an atmosphere of summer festivals. The small peasant-town of Dinkelsbuehl and the valiant town of Noerdlingen, — you can circle round it on the city-wall studded with 18 towers, — have likewise kept up their medieval face till to-day, they are real caskets of picturesques motives, dreamy lanes and corners. For 24 km our road traverses the "kettle of the Ries", caused by the impact of a giant meteorite at the primeval period. In the country, where the rocks of the crateredges appear, astronauts exercised their walk on the moon. From long distances tourists arrive, to visit the powerful castle of Harburg, towering over the town of the same name, they admire the immensely rich art-collections, belonging to the princes of Oettingen-Wallerstein. At Donauwoerth we cross the river and get to the 2000 years old Augsburg (p. 24), the only large city on our road. Passing through Landsberg with its civic pride, and the small town of Schongau our journey takes us to a triad of beautiful churches: Rottenbuch, Steingaden and the "Marvel in the Wies" (p. 120). Viewing the Alps the Romantic Road reaches its destination near the ancient Fuessen, a town surrounded by the Algau mountains and crowned by magnificent lakes. Culminations of this road, known and advertised by all tourists' agencies of the world, are the royal castles "Neuschwanstein" and "Hohenschwangau".

LA ROUTE ROMANTIQUE commence au pays vignoble sur le Main aux saints de pierre sur les ponts du siège épiscopal de Wuerzburg (p. 68, 70, 72). Dans la vallée de la rivière Tauber elle passe Mergentheim, ville d'eaux; l'ancienne ville de Weikersheim avec sa résidence célèbre; ensuite l'autel le plus beau de Riemenschneider dans l'église du petit village de Creglingen. La station, la plus souvent mentionnée de cette route est Rothenburg (p. 76, 77), quintessence des villes pittoresques allemandes. Feuchtwangen (p. 66) unit le pur style romanique avec une atmosphère de festival d'été. De même les petits villes paysannes, Dinkelsbuehl et Noerdlingen, lieu valide, qu'on peut contourner sur les fortifications avec ses 18 tours, ont conservé leur forme moyenâgeuse jusqu'aujourdhui; trésors véritables, riches en motifs pittoresques, ruelles et petits coins pleins de romantisme. Aussi nôtre route traverse d'une longueur de 24 km le cirque de «Ries», causé par l'impact d'une météorite gigantesque aux temps primitifs. Dans la campagne, ou paraissent les roches du bord du cratère, les astronauts exerçaient la promenade sur la lune. Des visiteurs arrivent de loin, qui s'intéressent à la citadelle puissante de Harburg, qui s'élève sur la ville du même nom, pour admirer les collections d'art immensement riches, dont les princes d'Oettingen-Wallerstein sont les propriétaires. A Donauwoerth nous traversons le Danube et nous allons voir Augsburg (p. 24), la seule grande ville de notre route. Landsberg, petite ville fière et bourgoise et la ville de Schongau, voilà deux stations de nôtre itinéraire, qui nous mène au triple accord de belles églises: Rottenbuch, Steingaden et «la Merveille in der Wies» (p. 120). En aspect des Alpes la Route Romantique atteint son but: auprès de l'ancienne ville de Fuessen (p. 124) au milieu des montagnes, couronnées par de lacs alpins magnifiques. Les châteaux royaux, Neuschwanstein (p. 125) et Hohenschwangau avec leur splendeur, font les derniers points culminants de la route touristique, connue et affichée dans toutes les agences de voyage du monde.

DER 800 JAHRE ALTE KREUZGANG IN FEUCHTWANGEN umhegt ein Geviert voll grüner Stille. Für ein paar Sommerwochen allerdings ist es ausgefüllt von Tribünen, und der ernste Rhythmus der romanischen Bogen wird zur Kulisse der „schönsten Kammerspiel-Freilichtbühne Deutschlands". Dann kann sich der Spaziergänger zwischen dem Kreuzganggarten und den historischen Handwerkerstuben, die als Theatergarderobe dienen, plötzlich unter den Gestalten einer Bauernkriegstragödie oder den kecken Weibern der Shakespeare-Zeit finden. In einem altfränkischen Giebelhaus träumt eine der reichhaltigsten Folkloresammlungen Süddeutschlands. Was es manchen Leuten bedeutet, ihr Alltagsdasein mit der im Bürger- und Bauernhaus „gewachsenen" Kultur zu konfrontieren, bezeugen die dankbaren Eintragungen ausländischer Gäste im Besucherbuch.

THE 800 YEARS OLD CLOISTER AT FEUCHTWANGEN surrounds a green square full of calmness. But during a few summer-weeks it is filled with platforms and the Romanesque arches become wings of "the most beautiful open-air stage for chamber-plays in Germany". Then the walker might find himself suddenly between the garden of the cloister and the historical rooms of the artisans, serving as dressing-rooms, right in the midst of figures of a tragedy about the peasants' wars or amongst a group of saucy wenches of a Shakespearean era. In an old-Franconian gable-house one of the richest collections of folklore of southern Germany is to be found. To many people it means a great deal, to compare their every-day life with a culture "grown" in farmhouses or townhouses; grateful entries made by foreign travellers into the visitor's book testify this.

LE CLOITRE A FEUCHTWANGEN, âgé de 800 ans, entoure un rectangle vert et plein de tranquillité. Pendant quelques semaines en été il est en effet rempli de tribunes, et les arcs romans deviennent la coulisse du «théâtre intime de plein air le plus beau en Allemagne». Entre le jardin du cloître et les pièces historiques d'artisans, employée comme garderobe, le promeneur se trouve alors parmi des figures d'une tragédie, qui se passe à la guerre paysanne ou parmi les femmes hardies de l'ère de Shakespeare. Dans une ancienne maison à pignon franconienne se trouve une collection de folklore une des plus riches de l'Allemagne du sud. Des inscriptions reconnaissantes de visiteurs étrangers dans le livre de visite sont des témoins, comme c'est d'une grande importance pour beaucoup de gens, d'être confrontés au milieu de leur vie quotidienne d'une culture formée dans les maisons bourgeoises et paysannes.

WÜRZBURG sammelt wie mit einem Brennglas alle Schönheit Mainfrankens in sich. Die Stadt ist ein Hort der unsterblichen Werke Riemenschneiders, Tiepolos, Balthasar Neumanns ... Aber Würzburg, im Schnittpunkt europäischer Verkehrswege gelegen, mit modernen Häfen und Tanklagern, ist auch Stapel- und Umschlagplatz für eine große, industriell und landwirtschaftlich betriebsame Region, ist Fabrik- und Handelsstadt, Schul- und Kongreßstadt ... Über dem Strom steigen aus den Weinhängen die Mauern der Festung Marienberg auf. Hinter Toren und Kasematten liegt der Fürstengarten (Bild), der an die Hofhaltung der Fürstbischöfe hoch über dem geschäftigen Alltag der Mainmetropole erinnert. Von dieser Warte aus liegt dem Kulturreisenden die ganze Stadtlandschaft, die von der Pracht ihrer reichen Kirchen geprägt ist, zu Füßen.

THE TOWN OF WUERZBURG collects the entire beauty of Mainfranken (Franconia). The town is a treasure of the immortal works of Riemenschneider, Tiepolo, Balthasar Neumann ... But Wuerzburg situated at the intersection of European highways, with its modern ports and tank-reservoirs, is also an emporium and reloading point for a big region of industrial and agricultural activity, it is a town of factures and trade, a town of schools and congresses ... From the vineyards above the stream rise the walls of the fortress "Marienberg". Behind gates and casemates the "princely garden" (picture) is situated, reminding of the princely household of the bishops high above the busy everyday-life of the Main-metropolis. From here the whole town lies at the feet of the traveller, with all the splendor of its rich churches.

LA VILLE DE WUERZBURG réunit toute la beauté de la Franconia du Main. Elle est un trésor des œuvres immortelles de Riemenschneider, Tiepolo, Balthasar Neumann ... Mais Wuerzburg, située au point d'intersection des voies de communications européennes avec les ports modernes et des réservoirs, est de même un entrepôt et un centre de transbordement pour une grande région industrielle et agronomique, c'est une ville industrielle et commerçante, une ville d'écoles et de congrès ... Au dessus du fleuve les murs du fort «Marienberg» s'élèvent des vignes. Derrière les portes et des casemates se trouve le «Jardin Princier» (illustration), qui rappelle la cour des princes évêques élevée sur la métropole avec sa vie quotidienne active. De cette élévation le voyageur trouve à ses pieds toute la ville avec sa magnificence et ses églises superbes.

IM KAISERSAAL DER FÜRSTBISCHÖFLICHEN RESIDENZ ZU WÜRZBURG hat Giovanni Battista Tiepolo um 1750 „Die Burgundische Hochzeit" gemalt. Er gibt das Ereignis von 1156 jedoch nicht historisch getreu wieder, sondern zeigt es als einen barocken Staatsakt, der wie auf einer Bühne in meisterlicher Regie dargestellt wird. Putten ziehen gerade den schweren, golddurchwirkten Vorhang auf — diesen grandiosen Bühnenrahmen schuf der Stukkateur Antonio Bossi. Balthasar Neumanns elegante Rokoko-Architektur regte den Venezianer zu einem malerischen Meisterstück von erstaunlichem koloristischen Reichtum an: das Deckenfresko mit den Sonnenpferden. Das Buch kann den überwältigenden Eindruck des Originals beim Blick ins hohe Gewölbe nur unvollständig wiedergeben. — Hier erklingen die Konzerte des Würzburger Mozartfestes.

IN THE IMPERIAL HALL OF THE EPISCOPAL RESIDENCE AT WUERZBURG Giovanni Battista Tiepolo had painted "The Burgundian Marriage" about the year 1750. But he does not reproduce this event of 1156 in a true historical fashion. He shows it as a baroque state-affair, represented in a masterly way, as if performed on a stage. Cherubs are drawing the heavy, gold-interwoven curtain, — this grandiose stage-frame was created by Antonio Bossi, a stucco-worker. The elegant rococo-architecture of Balthasar Neumann incited the Venetian painter to create a masterpiece of astonishing abundance of colours: the fresco-painting of the ceiling with the sun-horses. The book cannot to reproduce the overpowering impression of the original painting. — Here the concerts of the Wuerzburg-Mozart-festival take place.

DANS LA SALLE IMPERIALE DE LA RESIDENCE DES PRINCES EVEQUES DE WUERZBURG Giovanni Battista Tiepolo a peint vers l'an 1750 le «Mariage Bourguignon». Cependant il ne reproduit pas précisément l'événement historique de 1156, mais il le montre comme une affaire baroque d'Etat, représentée comme sur une scène d'une régie magistrale. Des chérubins y sont en train de lever le lourd store broché d'or, — Antonio Bossi, le stucateur a créé ce grandiose cadre scénique. L'architecture élégante de Balthasar Neumann avait animé l'artiste de Venise à son chef d'œuvre pittoresque d'une richesse de couleurs étonnante; la fresque du plafond avec les chevaux du soleil. Le livre ne peut produire de l'impression écrasante de l'originale voûte haute que de manière incomplète. — Ici résonnent les concerts du festival de Mozart.

ASCHAFFENBURG, «EIN BAYERISCHES NIZZA». So nannte König Ludwig I. diese Stadt, in deren mildem Klima mittelmeerische Gartenkultur gedeiht. Das inspirierte ihn zu einer typischen Idee der Romantik: das gelbe Pompejanum, Nachbildung einer antiken Villa, umgeben von efeuüberwucherten Koniferen, Agaventerrasse und Weinberg. Das rote Karree der Festung Johannisburg ist älter, ein „Idealbau der Renaissance". Als die Handwerker noch am Prunk der Innenräume schafften, klirrten schon die ersten Eroberer durch die Säle: der Schwedenkönig Gustav Adolf und seine Reiter. Ihnen folgte noch viele Kriegsnot. Aber selbst aus den Trümmern des Bombenkrieges haben die Aschaffenburger das rote Karree in klassischer Schönheit wiedererstehen lassen, eine Schatztruhe für alte Malerei, Bilderhandschriften, Kirchengerät ...

ASCHAFFENBURG IS THE "NICE OF BAVARIA". That is, how king Ludwig I had called this town, in the mild climate of which grows a Mediterranean horticulture. This inspired him with a typical idea of romantism; the yellow Pompejanum, a copy of an ancient villa, surrounded by coniferae overgrown with ivy, terraces with agaves and vineyards. The red square of the fortress "Johannisburg" is much older, it is an "ideal building of the Renaissance". At the time, when the artisans were still working at the gorgeous interior, the first conquerors marched across the halls, it was the Swedish king Adolf and his cavalrymen. He was followed by more wars and misery. But even out of the ruins of the bomb damages of the last war the citizens of Aschaffenburg have rebuilt the red square in its classical beauty; it is a treasure of old paintings, old manuscripts, church-furniture ...

VOILA ASCHAFFENBOURG, LE «NICE BAVAROIS». C'est que le roi Ludwig Ier avait appellé cette ville dans ce doux climat où prospère une horticulture méditerranée. Par cela le roi fut inspiré d'une idée typique du romantisme, le jaune Pompejanum, imitation d'une villa antique, entourée de conifères envahi de lierre, des terraces avec des agaves et des vignes. Le rectangle rouge du fort «Johannisburg» est plus ancien, c'est un «bâtiment idéal de la Renaissance». Au temps où les derniers artisans ont encore travaillé au pompe de l'intérieur, les premiers conquérants marchaient déjà à travers les salles, c'était Adolf, le roi suedois avec ses cavaliers. Après lui la ville a encore dû souffrir beaucoup par des guerres. Mais même après les ruines causées par des bombes de la dernière guerre les citoyens d'Aschaffenbourg ont construit le rectangle rouge d'une beauté classique; un trésor pour les peintures anciennes, les anciens manuscrits et des ustensiles religieux.

74

IN ROTHENBURG kann der Historiker in Bau- und Kunstdenkmälern, der Künstler in den malerischsten Bildmotiven, der Feinschmecker in den Genüssen der weitgerühmten fränkischen Küche schwelgen — kein Wunder, wenn die Stadt in ihren Mauern Gäste aus aller Herren Länder sieht. Zur vollen Stunde versammeln sie sich auf dem Markt, um an einem Fenster den historischen Altbürgermeister Nusch in einem Zuge den 13 bayerische Schoppen fassenden Humpen leeren zu sehen. Es soll dem Weingewohnten gar nicht schlecht bekommen sein. Die Nachwelt verdankt diesem Meistertrunk, daß Deutschlands romantischste Stadt Anno 1631 nicht zerstört wurde. An den Pfingsttagen wird das schicksalhafte Ereignis im Festspiel lebendig. Dann gleicht die Stadt einem Heerlager. — Das Winterbild zeigt das Pförtlein zur Kaisersaaltreppe im gotischen Flügel des Rathauses.

ROTHENBURG provides quite a lot of enjoyments; the historian finds monuments of art and architecture, for the artist there are the most picturesque subjects, the gourmet may taste the famous Franconian dishes. — No wonder that visitors from many countries meet between the walls of this town. At the full hour they all assemble at the marketplace, to watch the old mayor Nusch standing at a window and drinking a tankard containing 13 Bavarian pints in one single draught. Used to the wine, it agreed very well with him. The posterity owes it to this masterly draught that the most romantic town in Germany was not destroyed in the year 1631. At Whitsuntide this fatal event becomes alive again in a festival. During this time the town seems to be a camp. — The wintry picture shows the little gate leading to the staircase of the imperial hall at the Gothic wing of the town-hall.

DANS LA VILLE DE ROTHENBURG on trouve toute sorte de bombance; pour l'historien il y a des monuments d'architecture et d'art; pour l'artiste voici des motifs les plus pittoresques, et le gourmet y trouve la cuisine délicieuse franconienne très connue. — C'est point du tout étonnant, si la ville voit dans ses murs des visiteurs de beaucoup de pays étrangers. Quand l'heure sonne, les touristes s'assemblent à la place du marché, pour y voir à une fenêtre l'ancien maire Nusch boire d'un coup un hanap contenant 13 chopines bavaroises. On dit, que le vin ne lui convenait pas mal, buveur invétéré qu'il était. La postérité doit à cette gorgée de maître, que la ville la plus romantique de l'Allemagne ne fut pas détruite en 1631. Aux jours de la Pentecôte l'événement fatal revit dans un festival. Alors la ville ressemble à un camp. — L'illustration d'hiver montre la petite porte conduisant au perron de la salle impériale, qui se trouve à l'aide gothique d'hôtel de ville.

MARIA IM WEINGARTEN, die Wallfahrtskirche vor den Toren von Volkach am Main, wird von den Kunstfreunden „eine köstliche Blume der Spätgotik" genannt. Ein Hauch von Sensation umgibt den geweihten Ort, seit bei einem barbarischen Kirchenraub die berühmte Lindenholzmadonna des Tilman Riemenschneider beschädigt und mit Farbe unkenntlich gemacht wurde. Der Herausgeber einer Illustrierten hat sie damals von den Dieben losgekauft. Nun schwebt sie wieder in der Höhe des Chorraums, auf der Mondsichel stehend, von Flammenstrahlen umlodert, in einem Oval geschnitzter Rosen. Zu Füßen des Kirchbergs sind alle Freuden eines Reisetages ausgebreitet: das buntgetupfte Campinggelände, die blauen Vierecke des Schwimmbads, die pittoreske Silhouette der alten Stadt und der weite Rundhorizont der Wälder. Das Leitmotiv dieser Landschaft aber ist der Wein.

MARIA IM WEINGARTEN; the church of pilgrimage in front of the gates of Volkach on Main, is called by lovers of art "a delicious flower of late Gothic". A touch of sensation surrounds the sacred place, since at a barbarous spoliation the famous madonna of limewood sculptured by Tilman Riemenschneider was damaged and turned unrecognizable with paint. The editor of magazine later bought it back from the thieves. Now the sculpture is suspended again above the apsis, standing on the crescent of the moon, surrounded by a flaming halo in an oval of sculptured roses. At the feet of the montain with the church on top all travelling-pleasures are spread out; the camping grounds with the variegated tents, the blue square of the swimming-pool, the picturesque silhouette of the old town and the vast horizon of the forests; leitmotiv of all this being the wine.

L'EGLISE DE PELERINAGE DE «MARIA IM WEINGARTEN» (Marie au vignoble) devant les portes de Volkach sur Main fut appellée par des amateurs d'art «une fleure délicieuse de la fin de l'ère gothique». Le sanctuaire est entouré d'un souffle de sensation, depuis que pendant un cambriolage barbare dans cette église la célèbre madone sculptée sur bois de tilleul du maître Tilman Riemenschneider fut endommagée et rendue méconnaissable par la peinture. L'éditeur d'un journal illustré l'a racheté plus tard des voleurs. Maintenant la madone est de nouveau suspendue dans le chœur, placée sur le croissant de la lune dans une auréole ardente et dans un ovale des roses sculptés. Aux pieds de la montagne avec son église, voilà tous les plaisirs d'un voyage; le terrain bigarré de camping, les rectangles bleus du bain, la silhouette pittoresque de l'ancienne ville et l'horizon vaste et circulaire des forêts. Motif dominant de ce paysage c'est le vin.

BAMBERG ist auf sieben Hügeln erbaut, mit denen der Steigerwald zum Flusse Regnitz herabsteigt. Um Dom und Neue Residenz drängt sich die Bischofsstadt, zu ihren Füßen breiten sich an den Flußufern die Bürger- und die Inselstadt. Als romantischer Treffpunkt gilt das Alte Rathaus, das — an das Stadtbild von Prag erinnernd — wie ein Schiff im Fluß verankert liegt. Dort ist, als besondere Touristenattraktion, ein Automat, mit dem man nachts für ein paar Minuten „Klein-Venedig" beleuchten kann, das historische Wohnviertel der Fischer und Gerber. Im Norden der Stadt, wo sich der Main auf Sichtweite nähert, entstand ein moderner Hafen für 1200-Tonnen-Schleppschiffe, und der idyllische Gärtnermarkt hat sein Hinterland in einem fruchtbaren „Gartendelta". Bamberger Reiter, Rauchbier und Karl-May-Museum grenzen Bambergs Touristenprogramm ab.

THE TOWN OF BAMBERG is built on seven hills, the "Steigerwald" forest descending with them to the river "Regnitz". The cathedral and the New Residence are surrounded by the episcopal town, at their feet on the river-banks spread the city and the insular town. The old town-hall is well liked as a romantic meeting-place, which, — reminding of the view of the city of Prague —, is anchored in the river like a ship. As a special attraction for tourists there is an automaton to illuminate at night for a few minutes "Little Venice", the historical residential quarter of fishermen and tanners. In the north of the town, where the river Main draws near into sight, a modern port arose for tugboats of 1200 tonage, and the grocery-market has its hinterland at a fertile "Delta of gardens". The famous horseman of Bamberg, the smoked beer and the Karl May museum are important parts of the Bamberg program for tourists.

LA VILLE DE BAMBERG est construite sur sept collines, avec lesquelles la forêt «Steigerwald» descend à la rivière de «Regnitz». Autour de la cathédrale et la nouvelle résidence la ville épiscopale est située — la ville bourgeoise s'étendent à ses pieds aux bords de la rivière — et la ville insulaire. L'ancien hôtel de ville est rendez-vous romantique — l'édifice, qui rappelle la vue de Prague est amarré comme un bateau dans la rivière. Les touristes y trouvent un automate, avec lequel on peut illuminer pendant la nuit pour quelques minutes «la Petite Venise», le quartier historique d'habitation des pêcheurs et des tanneurs. Au bord de la ville, où le Main s'approche en champ visuel, un port moderne s'élève pour des remorqueurs à 1200 tonneaux; et le marché jardinier y a son arrière-pays dans un «Delta de Jardins» fertile. Le cavalier de Bamberg, ce monument célèbre, la bière fumée, et puis le musée de Karl May, voici le programme touristique de Bamberg.

DIE VESTE COBURG, DIE „FRÄNKISCHE KRONE" GENANNT, beherrscht das Bild der Stadt und des ganzen Coburger Landes. Sie ist eine der mächtigsten Burgen, die je gebaut wurden, und war ein Bollwerk gegen den Ansturm der Slawen. Mit ihren berühmten, schier unübersehbar reichen Sammlungen ist sie heute ein Bollwerk deutscher Kunst und Kultur. Neben Malerei, Skulptur, Möbeln und Waffen werden 2700 kostbare Gläser, 300 000 Druckgraphiken und 4000 Handzeichnungen großer Meister bewahrt. In der Stadt blieb die Atmosphäre der herzoglichen Residenz erhalten, und manches Stück englischer Gotik erinnert an ihre Verbundenheit mit der Queen Victoria, deren Prinzgemahl Albert von Coburg war. Söhne und Töchter des Hauses Sachsen-Coburg errangen und erheirateten sich die Kronen europäischer Herrscherhäuser von Portugal bis Rußland.

THE COBURG FORTRESS, CALLED THE "CROWN OF FRANCONIA" dominates the scene of the town as well as the whole country of Coburg. It is one of the most powerful citadels, which were ever built, and it was a bulwark against the Slavs. With its famous and enormously rich collections it is in our time a treasure of German art and culture. Beside painting, sculpture, furniture and arms there are kept 2700 precious glasses, 300 000 printed graphics and 4000 hand-drawings done by great masters. The town has preserved the atmosphere of the princely residence and many a piece of English Gothic reminds of the solidarity with Queen Victoria, whose consort was Albert von Sachsen-Coburg. From Portugal to Russia the sons and daughters of the house of Sachsen-Coburg gained the crowns of European dynasties by marriage.

LA CITADELLE DE COBURG OU BIEN LA COURONNE FRANCONIENNE domine sur l'image de la ville et sur tout le paysage de Coburg. C'est une de plus puissantes citadelles, qui jamais fut construite et elle était un bastion contre les assauts des Slaves. Elle se vante aujourd'hui des collections célèbres et immenses, un trésor de l'art et de culture allemand. A côté des peintures, des sculptures, des meubles et des armes on y garde 2700 de verres précieux, 300 000 de dessins graphiques imprimés, et puis 4000 dessins fait à la main des grands maîtres. La ville a conservé l'atmophère de la résidence princière et beaucoup de pièces en style gothique anglais rappellent la relation avec la reine Victoria, dont le prince consort était Albert von Sachsen-Coburg. De Portugal à la Russie les fils et les filles de la famille de Sachsen-Coburg ont gagné des couronnes de dynasties régnantes européennes par des mariages.

DIE KIRCHE VON PRIEN AM CHIEMSEE im Festglanz der Adventszeit. Wer eintritt, findet, was er nie vermutet: das halbe Gewölbe ist mit der Seeschlacht von Lepanto ausgemalt. Die Geschichte ist bekannt: Papst Pius V. heiligte den Tag, an dem unter Don Juan d'Austria die Türken geschlagen wurden. Ein Herr von Schurff erlag nach dem Kampf seinen Wunden, und die Freiherren von Schurff auf Wildenwart, unweit Prien, ehrten mit den Fresken ihren Ahnen. — Südlich von Prien steht auf einem Buckel hoch über dem See ein anderes merkwürdiges Gotteshaus, das Kirchlein von Urschalling. Bei der Renovierung wurde ein Wunder offenbar. Unter dem Verputz waren an allen Wänden, Bögen und Decken Fresken aus dem 14. Jahrhundert erhalten geblieben, Figuren der Heiligengeschichten, ein überlebensgroßes Bildergebetbuch.

THE CHURCH OF THE SMALL TOWN PRIEN ON LAKE CHIEMSEE brightly illuminated during the Advent-season. Whoever enters will find something never thought of; the fresco-painting covering half of the ceiling shows the naval battle of Lepanto. The story is well-known: Pope Pius V sanctified the day of the victory won by Don Juan d'Austria over the Turcs. A baron von Schurff was mortally wounded during this battle, and the barons von Schurff of Wildenwart near Prien had the fresco-painting done in his honour. At the south of Prien, on a hill high above the lake there is another remarkable church in a small village called Urschalling. At its renovation a marvel was disclosed. Under the plaster, on all the walls, arches and ceilings fresco-paintings from the 14th century were preserved, figures representing the tales of the saints; a painted prayerbook mor than life-size.

VOICI L'EGLISE DE PRIEN AU BORD DU CHIEMSEE à la lumiere brillante de l'avent. En entrant on y trouve une chose inattendue: les fresques du plafond éternisent la bataille navale de Lepanto. L'histoire est bien connue: le pape Pius V avait sanctifié le jour auquel les Turcs furent vaincus par Don Juan d'Austria. Un certain Monsieur de Schurff fut mortellement blessé dans cette bataille, et les barons de Schurff de Wildenwart près de Prien faisaient peindre les fresques à l'honneur de cet ancêtre. Au sud de Prien s'élève sur une élévation au-dessus du lac une autre église remarquable, c'est la petite église d'Urschalling. Pendant les remises à neuf une merveille fut révélée. Sous l'enduit sont conservées sur tous les murs les plafonds et les arcs des fresques du 14ème siècle, des figures de l'histoire de saints, un livre de prières en tableaux de grandeur surnaturelle.

DER CHIEMSEE, auch das „Bayerische Meer" genannt, ist Bayerns größtes Gewässer. Auf dem Bilde breitet er drei stille Schönheiten aus: seine Wasserweite, ein Eldorado der Segler; die Vorberge, Höhenwanderziele für den Bergfreund; die Fraueninsel, ein Denkmal tausendjähriger Kultur und Geschichte. Im Schatten des mächtigen Zwiebelturmes liegt das Kloster Frauenwörth. Im Münster der Abtei ruhen die Gebeine der seligen Irmingard, einer Urenkelin Karls des Großen, die hier Anno 866 als Äbtissin starb. Die neueste Forschung fand im Torbau des Klosters Engelgestalten „von griechischer Schönheit" und im Sanktuarium Bildfolgen lebensgroßer Prophetenfiguren, die schon in karolingischer Zeit ein Meister jener Epoche gemalt hat, und die jahrhundertelang unter Verputz und Tünche und späteren gotischen Einbauten verborgen waren.

LAKE CHIEMSEE is the largest of the Bavarian lakes, also called the "Bavarian Sea". This picture displays three beauties full of calm; the lake spreading very large is an eldorado for yachtsmen; a place inviting for mountain tours; the "Fraueninsel", an islet bearing witness of a thousand year's culture and history. In the shadow of the huge bulb-shaped tower the convent "Frauenwoerth" is situated. At the cathedral of the abbey the blessed Irmingard is buried, a great-grand-daugther of Charlemagne, she died in the year 866 as an abbess. At the latest researches angelic figures were found in the gatewing of the convent, they were of "a Greek beauty", and at the sanctuary some series of paintings representing figures of the prophets in life-size, painted by an artist of the Carolingian age. For centuries they were concealed under plaster and whitewash and later interior structures.

LE CHIEMSEE est le plus grand lac de la Bavière, ce pour cela qu'il a reçu le surnom «La Mer Bavaroise». Sur cette illustration il offre trois sortes de beauté tranquille: l'extension du lac est idéale pour le yachting; l'Île des Dames, «Fraueninsel», voici un monument d'une culture et histoire millénaire; et puis les préalpes, des buts solitaires, qui attirent les touristes. A l'hombre de la puissante tour bulbeuse se trouve le couvent de Frauenwoerth. Dans la cathédrale de l'abbaye est la dernière demeure de la défunte Irmingard, une arrière-petite-fille de Charlemagne, qu'y est décédée comme abbesse en 866. Pendant les recherches les plus nouvelles on a decouvert dans la construction de la porte du couvent des figures angéliques «d'une beauté grecque» et à l'autel des séries de tableaux de figures de grandeur naturelle, representant des prophètes. Ce sont des chef d'œuvres peint à l'époque des Carolingiens d'un artiste de ce temps-là, qui furent cachés pendant des siècles sous le crépi et le vermis et sous des constructions installées plus tard.

DER CHIEMGAU ist das Ferienland, das sich um das „Bayerische Meer" (S. 86, 87, 90) breitet und in einem Fächer von Tälern zu den Schönheiten der Vorberge überleitet. Viele Orte warten mit speziellen touristischen Angeboten auf. So ist Ising das „Reiterdorf", mit Turnierplatz und herbstlichen Reiterfesten. Seine Ausflugsziele sind das Inselkloster Seeon, das alte Hochstift Baumburg, Stein an der Traun mit einem Höhlen- und Felsenschloß — ein historisches Räubernest. Übersee-Feldwies heißt „das Blumendorf". Spaziergänge in die Moorlandschaft der „Gossauer Filze" führen zu seltener Flora und Fauna. Aus dem rührigen Fremdenort Ruhpolding — der sich in der Zopfzeit für sein prächtiges Gotteshaus einen bayerischen Hofbaumeister leisten konnte — schwebt die Rauschbergbahn empor für einen Alpenblick bis zu den Gletscherbergen. Hohenaschau befördert seine Gäste per Kabinenbahn auf die Kampen-wand, die im Hintergrund ungezählter Chiemseebilder als Gebirgskulisse steht. Von der Bergstation aus kann man sich für zünftige Brotzeit und „Musi" zur Almwirt-schaft wenden, oder aber mit weiterem Aufstieg bis zum Gipfelkreuz vor ein begei-sterndes Bergpanorama gestellt sein. Im Winter gibt es dieses Schauprogramm kristall-glitzernd überzuckert: Skiziele sind die Urlauberdörfer Marquartstein, Unter- und Oberwössen, das Schneeloch Reit im Winkl (S. 100), wo über die Tiroler Grenzpfähle der Glanz des Kaisergebirges hereinleuchtet. Ein Sonnenfang im Sommer und ein sportprominentes Eisloch im Winter ist der Ort Inzell hinter Siegsdorf, Treffpunkt und ideale Trainingsstätte für die internationalen Asse des Eislaufs. So ist das im Chiemgau: hier ragt eine Burg, dort bewahrt ein Kirchlein „unberührte Gotik", hier werden Pferdeschlittenfahrten organisiert, dort führt ein stiller Weg zur Hirschfütte-rung — ans Ende all dieser Reisefreuden ist wohl noch niemand gekommen.

THE "CHIEMGAU", popular resort for holidaymaker, spreads round the "Bavarian Sea" (p. 86, 87, 90). Numerous valleys lead in a fanshaped way to the beautiful promontory. To the interested sightseer many places have promising offers in store. Ising, the "equestrian village" boasts of a tilt-yard and autumnal equestrian festivals. From here excursion can be started to Seeon, a convent situated on a small island; to Baumburg with its old cathedral church or to Stein on Traun with a castle cut into rocks and caves, — a historical den of robbers. Uebersee-Feldwies is called the "village of flowers". Walks through the marches near Gossau lead to rare specimen of bloom and fauna. From Ruhpolding, an active holiday resort — which during the age of pigtails could afford an architecte from the Bavarian royal household, to build its magnificent church, — a mountain-railway goes up to the Rauschberg for a view over the mountains and the alpine glaciers farther away. Hohenaschau possesses a cabin-cableway, that carries its visitors up to the "Kampenwand", a mountain, which forms the background of countless pictures of the lake "Chiemsee". From the terminus people can walk to the little Alpine cabin for a rustic snack and to listen to some Bavarian tunes. Whoever is fond of mountaineering, might continue his walk, until, reaching the cross of the summit, he can enjoy a panorama of unique splendor. In winter the scene changes into one of glittering crystal. Destinations for ski sporting are: Marquartstein, Unter- and Oberwössen and Reit im Winkl with its masses of snow (p. 100), where beyond the Tyrolian borderposts the "Kaiser" mountains rise in sublime magnificence. Inzell, a little village just behind Siegsdorf, catches lots of sunshine in summer, in winter it is covered with a thick layer of ice, being then an ideal meeting point and training-place for international top-skaters. Such is the "Chiemgau": here a citadel; there a little church preserving a "Gothic untouched", at another place sleigh-rides with horses are organized; some quiet path leads to a feeding-place for deer. As yet no traveller has found an end of all these pleasures.

LE CANTON «CHIEMGAU» est le pays de vacances, qui s'étend autour de la «Mer Bavaroise» (p. 86, 87, 90) et dont un éventail de vallées fait le passage aux superbes Préalpes. Beaucoup d'endroits offrent des specialités touristiques. Voilà Ising — «village équestre» avec sa place de tournoi et des festivals équestres en automne. De cet endroit-là des excursions conduisent au couvent Seeon, situé sur un îlôt; à l'ancient couvent de Baumburg et puis Stein sur Traun, avec un château et des cavernes creusées des roches — répaire historique de brigands. Uebersee-Feldwies s'appèle «le village de fleurs». Le promeneur découvre au marécage «Gossauer Filze» une flore et faune rare. De Ruhpolding, lieu de vacance actif, qui à l'époque rococo pouvait même payer un architecte de la cour bavaroise pour son église magnifique, — un funiculaire mène sur le «Rauschberg», mont avec une vue superbe sur les glaciers alpins. Hohenaschau transporte ses touristes avec un funiculaire sur la «Kampenwand». Cette montagne forme une coulisse pour de nombreux tableaux du «Chiemsee». Du terminus l'excursioniste peut diriger ses pas vers la cabane alpine pour prendre un repas rustique et écouter de la musique bavaroise. Or l'alpiniste peut monter jusqu'à la croix du sommet, d'où un panorama ravissant s'offre aux yeux. En hiver on y trouve une scène de cristaux brillants. Des terrains favorables aux skieurs se trouvent auprès de Marquartstein, Unter- et Oberwoessen, Reit im Winkl (p. 100) avec ses énormes masses de neige. Au-delà des poteaux tyroliens servant de bon s'élèvent les montagnes «Kaisergebirge» en magnificence extraordinaire. Le village d'Inzell derrière Siegsdorf est plein de soleil en été, en hiver il fait stade de patinage éminent; rendez-vous et terrain d'entrainement pour les meilleurs patineurs du monde. Tel est le «Chiemgau»: voilà un château; là-bas une petite église en style «gothique intact»; voici des courses en traîneau, tiré par des chevaux; par là un sentier tranquille conduisant à l'alimentation des cerfs. Plaisirs de voyage, dont personne est arrivé au bout.

DAS SCHLOSS HERRENCHIEMSEE ist das prunkvollste der bayerischen Königsschlösser, eine Nachbildung der Versailler Barockschöpfung. Der Bayernkönig Ludwig II. ließ sich die kostspielige Illusion mitten im Umbruch der Industrialisierung, schon an der Schwelle des Automobilismus, errichten. Der königliche Träumer hat nur dreiundzwanzig einsame Nächte im Goldglanz dieses Inselschlosses verbracht. Heute bestaunen in jeder Reisesaison Abertausende die Kunstfertigkeit und den ungeheuren Fleiß der Menschen, die dieses Werk schufen. Die Illusion, in die Epoche des Sonnenkönigs zurückversetzt zu sein, ist allerdings auch für den heutigen Schloßbesucher vollkommen, wenn an Sommerabenden zum Kammerkonzert in der Spiegelgalerie (Bild) 4000 Kerzen entzündet werden. Dieses Ereignis gehört zu den Höhepunkten der Bayernfahrt.

HERRENCHIEMSEE is the most gorgeous of the Bavarian royal castles, it is a copy of the baroque creation of Versailles. The Bavarian king Ludwig II had constructed this expensive illusion in the middle of the industrial upheaval at the beginning of the automobilisation. The royal dreamer spent only 23 lonely nights in this golden lustre of the island castle. Today visitors by thousands admire the artistic skill and the immense dilligence of the people, who created this work of art. The illusion of being removed into the epoch of the "Roi Soleil" is also shared by the visitor of present days; each Saturday-night during the summer season at the hall of mirrors (picture) a concert of chamber music takes place while 4000 candles are lighted. This is one of the culminations of the Bavarian trip.

LE CHATEAU DE HERRENCHIEMSEE est le plus pompeux des châteaux royaux bavarois, c'est une imitation de la création baroque de Versailles. Le roi bavarois Ludwig II fit établir cette illusion coûteuse au cours de l'industrialisation au commencement de l'automobilisme. Le rêveur royal a seulement passé 23 nuits solitaires dans ce château brillant d'or. Pendant chaque saison du tourisme (en été) de milliers admirent de nos jours l'habilité et la diligence immense des hommes, qui ont créé cette œuvre. Même aujourd'hui le visiteur du château se trouve reporté à l'époque du «Roi Soleil», quand au soir d'été pendant un concerte de musique de chambre 4000 bougies sont allumées dans la salle des glaces (illustration). Cet événement est un des points culminants du voyage en Bavière.

BERCHTESGADEN ist der Ausgangspunkt für viele Touren in die hochalpine Berg-
welt der Umgebung, zu der die 2000 Meter steil aufragende Watzmann-Ostwand
gehört. Die Geschichte der Stadt hat das Salz geschrieben, um dessen Besitz die
Alpennachbarn und die Franzosen, Kaiser und Bischöfe ihre „Salzkriege" geführt
haben. Vieles in der Stadt erinnert daran, in alten Bräuchen spielen Höllenlärm und
Pulverdampf eine Rolle. Frühgotik, Staufer und Wittelbacher haben Kulturdenk-
mäler hinterlassen. Beliebte Souvenirs sind traditionelles Spielzeug und bäuerliches
Kunsthandwerk: das Ringelspiel der roten Reiter mit der Kurbel für die „Musik",
der zierlich geschnitzte Brautwagen in der bemalten Spanschachtel, Dosen in origi-
neller Filigran-Drechselei, Keramik in satten Alpenblumenfarben, mit Ornamenten
voll urwüchsiger Poesie . . .

BERCHTESGADEN is the starting point for many excursions leading to the surrounding high mountains, one of them is the steep eastern wall of the "Watzmann"
with an altitude of 2000 meters. The tale of the city was written by the salt, for the
possession of which the so-called "salt-wars" were made between the neighbouring Alpine countries and the French, between emperors and bishops. Many things in this
town remind of these times; infernal noise and powdery vapours are parts of the old
customs. There is an early Gothic style, and the Staufer and Wittelsbach families have
left cultural monuments. Popular souvenirs are traditional toys and rustic art work; the
merry-go-round of the red horsemen with a handle for the "music"; the bridal coach
daintily sculptured and packed into a painted chip-box; other boxes made of original
filigree-turnery; ceramics in rich colours of alpine flowers and ornaments of native
pieces of poetry . . .

LA VILLE DE BERCHTESGADEN est point de départ pour beaucoup de tours alpines
dans les montagnes alpestres des environs, dont un est la paroi de rocher à l'est du
«Watzmann», d'une hauteur de 2000 mètres. C'était le sel, qui a écrit l'histoire de
cette ville, dont la possession était la cause des combats entre des pays voisins alpestres et les Français, entre les empereurs et les évêques. Dans la ville beaucoup
de choses rappellent ces temps; des anciennes coutumes y sont vivantes comme le
vacarme infernal et le fumée de poudre. Voici le premier style gothique: les familles
de Staufer et de Wittelsbach ont laissé des monuments de culture. Les souvenirs
recherchés sont des jouets traditionnels et des objets d'art créés par les artisans paysans;
le carrousel de cavaliers rouges avec une manivelle pour la «musique», la voiture de
mariée gracieuse et sculptée sur bois dans une boîte de copeau, des boîtes de filigrane
de l'art du tourneur, et puis la ceramique en couleurs de fleurs alpins avec des ornements pleins de poésie . . .

DER KÖNIGSSEE hat keine Ufer, auf denen der Mensch sich hätte breit machen können. Unverändert seit den Schöpfungstagen ragt aus seinen grünen Fluten die allbekannte Felskulisse empor: Watzmann, Steinernes Meer, Hoher Göll ... Generationen von Malern haben diese Landschaft verewigt, oft in so romantischen Verkleidungen, daß selbst der legendäre Bergkönig Watze sein Reich nicht wiedererkennen würde. Aber diese Bilder sind Dokumente blutvoller Reiseerlebnisse, die sich nicht mit dem Schauen begnügen, sondern vom frommen Schauer vor der Urnatur bis zum hellen Jubel der Bergfahrt die ganze Skala der Empfindungen einer Alpenreise einschließen. Die Lieblichkeit der Bauernbühnenszenerie von St. Bartholomä (Bild) und das siebenfache Echo auf das Trompetensolo des Bootsführers gehören heute zu den Höhepunkten des Welttourismus.

THE KOENIGSSEE is a lake without shores on which people might have settled. Unchanged since the first day of creation, the wellknown scene of rocks above its green floods rises: the mountains "Watzmann", "Steinernes Meer", "Hoher Goell" ... Generations of painters have immortalized this landscape, often in a romantical disguise, in which even the legendary king of the mountains Watze would not have recognised his empire. But these pictures are documents of heart-felt travelling-experiences, including the pious shiver in front of the primitive nature as well as the pleasures of a cheerful mountain-trip, a whole scale of sensations of an alpine journey. The rustic and original scene of St. Bartholomae (picture) and the seven-fold echo after a trumpet-solo of the boat-driver are one of the highlights of the tourist traffic.

LE KOENIGSSEE (lac royal) n'a pas des rives, il n'y a aucune place, où l'homme peut s'étendre. Inchangé depuis les jours de la création la coulisse rocheuse bien connue s'élève de ses flots verts; les monts de «Watzmann», «Steinernes Meer», «Hoher Goell» ... un paysage peint par des générations d'artistes, souvent de façon si déguisé, que le roi légendaire des montagnes Watze lui-même ne pourrait pas reconnaître son empire. Mais ces tableaux sont des documents des impressions de voyage; ils comprennent toute une échelle de sentiments du frisson pieux devant la nature primitive jusqu'à l'allégresse d'une joyeuse excursion dans les montagnes. La scène paysanne de St. Bartholomae (illustration) et l'écho à sept reprises après un solo de trompette du batelier sont aujourd'hui des points culminants du tourisme mondial.

ANGER BEI REICHENHALL — König Ludwig I. fühlte sich hier im „schönsten Dorf Bayerns". Aber im Oberland haben viele Orte Anspruch auf diesen Ehrentitel. Weil hier bäuerliche Kultur immer neu erblüht aus der Besessenheit des alpenländischen Menschen, jede Stube, jedes Gotteshaus, das Dorf, das ganze Tal mit schönen Dingen anzufüllen, die Feste des Jahres mit geradezu höfischem Zeremoniell auszurichten.

THE BAVARIAN KING LUDWIG I HAD CALLED "ANGER" near Reichenhall the "most beautiful village of Bavaria". But in the upper country many places are entitled to this honorary title. Here a rustic culture is always flourishing anew from the obsession of the Alpine people, to fill each room, each church, the whole village and the valley with beautiful things, and to fit out the celebrations of the year with almost courtly ceremonial.

LUDWIG Ier ROI DE BAVIERE AVAIT APPELE ANGER près de Reichenhall le village le plus beau de toute la Bavière. Mais à l'haute-pays beaucoup d'endroits ont droit à ce titre d'honneur. Voici la culture paysanne, qui prospère toujours de nouveau par l'obsession des hommes alpestres, de remplir chaque pièce, chaque église, tout le village et toute la vallée avec des belles choses, d'équiper les fêtes de l'année avec un certain cérémonial de cour.

DER KLEINE BLAUEISGLETSCHER IM HOCHKALTERSTOCK schimmert tatsächlich, als hielte er in der Tiefe des Eises ein Stück Himmelsblau gefangen. Ihn und das felsige Hufeisen darumhin bergsteigerisch zu begehen, muß den Alpinisten vorbehalten bleiben. Aber auch das Bergblumenwunder der Steinbrechpolster und der Alpenrosenglut lohnt den Aufstieg in das Erlebnis des Hochgebirges.

THE SMALL "BLAUEISGLETSCHER", a glacier in the "Hochkalter" mountains really glimmers, as if it had caught at the depth of the ice a piece of the blue sky. It is reserved to the experienced mountaineer to conquer its summit and the surrounding rocks shaped like a horseshoe. But the marvel of the Alpine flore, the glowing of the Alpine roses makes the ascent to the high mountains a compensating event.

LE PETIT GLACIER DE GLACE BLEU, «BLAUEISGLETSCHER», partie du mont «Hochkalter», brille en effet comme s'il détient dans la fondeur de la glace un morceau du ciel bleu. C'est aux alpinistes éprouvés qu'est réservé la traverse et l'ascension des montagnes, qui l'entourent en forme de fer à cheval. Mais la flore alpine, cette merveille fleurissante d'une splendeur inespérée, est un événement, qui est récompense pour l'ascension dans les hautes montagnes.

ÜBER REIT IM WINKL und das nahe Kaisergebirge breitet sich zur Winterzeit — ▷
so sagen die „Wetterfrösche" — ein Kältesee. Das garantiert dem Touristendorf eine
Skisaison in Perfektion. Der Photograph hat mit seinem Schnappschuß ein Fenster
in die Vergangenheit geöffnet: In der kleinen Wegkapelle verrichteten einst die Fuhrleute ein stilles Gebet, ehe sie mit den schweren Langholzfuhren die gefahrvolle
Talreise antraten.

ABOVE THE VILLAGE REIT IM WINKL near the mountains of the "Kaisergebirge"
a cold sea spreads in wintertime, — as the meteorologists call it. This guarantees a
perfect skiing-season to the tourist village. With his snapshot the photographer has
opened a window into the past; at the small chapel on the roadside the carriers in
former times said a short prayer before starting the dangerous downhill trip with the
heavy cart-load of timber.

SUR LE VILLAGE DE REIT IM WINKL et les montagnes de «Kaisergebirge», situées
tout près, s'étend un lac de froid pendant l'hiver — selon les météorologues. Cela
garantit pour le village touristique une parfaite saison de ski. Avec son instantané
le photographe a ouvert une fenêtre dans le passé; dans la petite chapelle les voituriers
de jadis disaient une brève prière avant de continuer leur voyage en aval avec les
charrettes de bois long.

DIE FRÜHLINGSSTRASSE IN GARMISCH-PARTENKIRCHEN ist eines der bekann-   ▷ ▷
testen Bildmotive der bayerischen Alpen. Hier ist eine alte Dorfstraße besonders gut
und stilrein erhalten geblieben. Typisch für die Bauweise dieser Landschaft sind die
Steine, die das leichte Schindeldach beschweren müssen, und die oft kunstvoll aus-
gesägten Bretter zur Verkleidung der breiten, oft umlaufenden Balkone.

THE SPRING-ROAD AT GARMISCH-PARTENKIRCHEN is one of the best known
subjects for pictures of the Bavarian Alps. Here we have an old village-road well
preserved in a pure style. A typical sign of the architecture of this country are the
stones that have to weight the light shingle-roof; and the planks often sawn out
in an artful fashion to wainscot the wide balconies.

LA RUE DU PRINTEMPS A GARMISCH-PARTENKIRCHEN est un des plus beaux
motifs des Alpes bavaroises. Voici une ancienne rue de village, qui s'est conservée en
style singulièrement pur. Le paysage montre une construction de maisons qui est
typique, ce sont les pierres qui doivent alourdir le léger toit de bardeaux, et puis les
planches souvent sciées en façon ingénieuse pour le lambrissage des balcons larges.

DIE ZUGSPITZE ist Bayerns höchster Punkt. Ihr Gipfel wurde zu einer großen Beton-platform ausgebaut. Drei Bergbahnen führen hinauf: Die alte Zahnradbahn klettert das letzte Stück ihres Weges im Innern des Felsstocks empor und setzt ihre Passagiere am Schneefernerhaus ab, Deutschlands höchstgelegenem Hotel mit einer Sommerskipiste vor der Tür. Die Großkabinenbahn bezwingt den Berg in kühner Seilführung über nur zwei Stützen, und bringt den Gast in zehn Minuten aus der wild-romantischen Bergwaldkulisse des Eibsees direkt an die Rolltreppen zu den Aussichtsterrassen. Die Tiroler Seilschwebebahn hat ihre Talstation im benachbarten Ehrwald. Das Bild zeigt das Zugspitzmassiv als Hintergrund des Touristenzentrums Garmisch-Partenkirchen. Diese imposante Gesamtschau hat man vom Gipfel des Berges Wank.

THE MOUNT "ZUGSPITZE" is the highest point of Bavaria. Its summit was trans-formed into a large platform of concrete; three mountain-railways lead up there. The old rack-railway climbs the last stretch of its road inside the rocky mountains and puts down its passengers at the "Schneefernerhaus", the hotel situated at the highest point in Germany, which has a summer-ski-run in front of its door. The big aerial cableway has only two stays for its support. In ten minutes it takes the visitor from the romantic woodland-scene of lake "Eibsee" to the escalator, leading to the look-out terraces. The Tyrolean suspension railway comes from the neigh-bouring village Ehrwald. The picture shows the "Zugspitz" block massif as background of the Garmisch-Partenkirchen tourist-centre. This imposing general view may be enjoyed from the summit of the mount "Wank".

LE MONT «ZUGSPITZE» est le point le plus haut de la Bavière. Son sommet fut agrandi pour former une vaste plate-forme de béton. Trois chemins de fer de montagne y montent; le vieux chemin de fer à cremaillère grimpe son dernier parcours à l'in-térieur du rocher et dépose ses voyageurs à la station de «Schneefernerhaus», l'hôtel le plus élevé de toute l'Allemagne avec un piste de ski d'été devant sa porte. Le grand funiculaire vainc la montagne à l'aide de seulement deux étançons pour les cables, et après dix minutes le visiteur, sortant de la coulisse des forêts autour du lac «Eibsee», arrive à l'escalier roulant, qui le conduit aux terrasses de belles vues. Le télé-phérique tyrolien vient d'Ehrwald, un petit village voisin. L'illustration montre le massif du «Zugspitze», qui forme le fond du centre de tourisme de Garmisch-Parten-kirchen. On peut voir du sommet du mont «Wank» cette impressionnante vue d'en-semble.

SCHLOSS LINDERHOF ist die graziöseste der Bau-Ideen Ludwigs II., den man den Märchenkönig nennt. Schon die Lage dieser „königlichen Villa" in der Landschaft ist ein genialer Wurf. Der Park im englischen Stil — mit vielgestaltigen Parterre- und Terrassenanlagen, verspielten Skulpturen und Wasserkünsten — geht in den dunklen Bergwald über. Die große Fontäne läßt ihren weißschäumenden Strahl höher als alle Baulichkeiten springen. Durch die einstige Konzeption „Einsamkeit und Eleganz" strömen heute die Touristen und bestaunen das alles beherrschende Paradeschlaf-zimmer, das Spiegelsälchen und die Kabinette — und das Tischlein-deck-dich, das fertig serviert durch eine Versenkung aus der Küche heraufkam, damit kein Bedien-steter das Speisezimmer des menschenscheuen Königs zu betreten brauchte.

THE CASTLE OF LINDERHOF is the most graceful of the buildings created by Lud-wig II, who was called the fabulous king. The very situation of this "royal villa" in this landscape is an ingenious idea. The parc in the English style leads over into the dark mountain-forest. There are multiform ground floors and terraces to be found with playful sculptures and artificial fountains. The fountain lets its white foaming jet jump higher than all the buildings. Across the former conception of "solitude and elegance" flocks of tourists are now walking to admire the dominating bed-room of display, the small hall of mirrors and the closets, — and last but not least the fancy table, the "Tischlein-deck-dich" that was laid in the kitchen underneath and mounted by an elevator to the dining-room. The shy king did not even wish to be served by servants at table.

LE CHATEAU DE LINDERHOF est l'édifice le plus gracieux de Ludwig II, qu'on appelle le roi fabuleux. Même la situation de cette «villa royale» dans ce paysage est d'un choix excellent. Du parc on passe dans la forêt montagneuse. On y trouve des constructions multiformes de parterres et de terrasses, et des sculptures et de jets d'eau. La fontaine fait sauter son jet d'eau plus haut que tous les bâtiments. A travers de cette ancienne conception de «solitude et d'élégance» aujourd'hui les tou-ristes se portent en foule et admirent la chambre à coucher de parade, qui surpasse tout, la petite salle des glaces, les cabinets et la table «Tischlein-deck-dich», qui fut mis à la cuisine souterraine et fut monté par un monte-plats à la salle à manger. Le roi timide avait refusé d'être servi par des domestiques.

DAS KLOSTER ETTAL wurde in gotischer Zeit gegründet. In der weißen Pracht der italienisch-süddeutschen Barockfassade sieht man noch den schlichten Glockenturm aus jener Zeit. Das Gnadenbild der Wallfahrtskirche hat nach der Sage Kaiser Ludwig der Bayer selber, am Sattel seines Pferdes verschnürt, aus Italien über die Alpen gebracht. Im Tal der Ammer soll die fromme Last Roß und Reiter in die Knie gezwungen haben. An dieser Stelle wurde die Abtei errichtet. Der Innenraum des Gotteshauses ist in überschwenglichem Rokoko ausgestattet, die riesige Kuppel als ein Benediktinerhimmel ausgemalt, bevölkert von 431 Ordensheiligen. Aus der einstigen Ritterakademie wurde ein Internat für Knaben, und die Benediktiner erfüllen ihre Ordensregel, nach der sie von ihrer Hände Werk leben müssen, an modernen Arbeitsplätzen.

THE MONASTERY OF ETTAL was founded at the Gothic period. In the middle of the white splendor of its baroque façade in Italian-south-German style the plain belfry is still to be seen. It was said that the miraculous image of the pilgrims' church was brought from Italy across the Alps by the emperor Ludwig the Bavarian himself, who had it fixed to the saddle of his horse. In the Ammer-valley the religious burden forced the horse and its rider to go down on their knees. At this place the abbey was erected. The interior is fit out in an effusive rococo style; the huge cupola is painted as a Benedictine sky, populated with 431 saints of that order. The former knights' academy has become a boarding-school for boys, and the Benedictine monks, following the regulations of their order, earn their living by manual work at modern places of employment.

LE COUVENT D'ETTAL fut construit à l'époque gothique. Dans la magnificence blanche de la façade en style baroque italien-allemand-du-sud on y voit encore le simple clocher de ce temps-là. Selon la légende l'empereur Ludwig le Bavarois lui-même avait apporté l'image miraculeuse de l'église de pélerinage, ficelée à la selle de son cheval, traversant les Alpes de l'Italie. On dit, que dans la vallée l'Ammer le fardeau religieux a fait tomber à genoux le cavalier et son cheval. C'est à cet endroit, que l'abbaye fut établie. L'intérieur de l'église est décoré en rococo débordant, la coupole colossale est peinte comme un ciel de bénédictins, peuplé de 431 saints de cet ordre. L'ancienne académie de chevaliers est devenue un internat pour garçons, et les Bénédictins sont obligés selon leur règle de gagner leur vie par des travaux manuels aux chantiers modernes.

DER RIESSERSEE BEI GARMISCH-PARTENKIRCHEN ist eines der schönsten Bild-
motive in den bayerischen Alpen. Wer will, kann in der mit blanken Seen getupften
Umgebung des großen „Touristendorfes" den Badestrand täglich wechseln; aber der
Rießersee ist ein „Swimming-pool", wie ihn kein Krösus dieser Welt sich prächtiger
leisten könnte. Im Hintergrund entdeckt der Bergsteiger gute Bekannte: ganz in der
Höhe den „Jubiläumsgrat", einen vielbegangenen Hochsteig zur Zugspitze; rechts am
Kleinen Waxenstein die „Zwölferkante", eine 400 Meter fast lotrecht aufsteigende
Kletterroute. Der See sieht auch im Winter viele Gäste, Aktive und Fans des Winter-
sports. Eine erfolgreiche Eishockeymannschaft trägt seinen Namen, und es gibt hier
eine international bekannte Bobbahn und eine als Kandahar-Abfahrt zugelassene Ski-
rennstrecke.

LAKE "RIESSERSEE" NEAR GARMISCH-PARTENKIRCHEN is one of the most
beautiful subjects for pictures of the Bavarian Alps. If the visitor prefers to change
his bathing-beach every day, he can do so at the bright lakes surrounding the "tourist
village" like spots. But the Riessersee is a "swimming-pool", which not even the richest
people could afford. At the background the mountaineer discovers old acquaintances:
quite at the summit the ridge "Jubilaeumsgrat", an often walked high mountain path
leading to the "Zugspitze", at the right on the "Kleiner Waxenstein" there is the
"Zwoelferkante", a climbing-route rising almost vertically for 400 meters. Even in
winter many travellers visit the lake and its surroundings, fans of the wintersports
or active participants. A successful ice-hockey team got its name from the lake, and
there is an internationally known bobsleigh-course and a racetrack for skiing, ad-
mitted as "Kandahar" run-down.

LE LAC «RIESSERSEE» PRES DE GARMISCH-PARTENKIRCHEN est un de plus beaux
motifs pittoresques des Alpes bavaroises. Aux environs du «grand village touristique»
sont dispersés de lacs alpins, et le voyageur peut changer sa plaque chaque jour. Mais
le Riessersee surpasse tout avec sa beauté extraordinaire. Au fond l'alpiniste voit des
montagnes bien connues: tout en haut voilà la crête «Jubilaeumsgrat» un sentier
souvent parcouru, conduisant au sommet «Zugspitze»; à côté droit du mont «Kleiner
Waxenstein» se trouve le mont «Zwölferkante», un flanc perpendiculaire de 400 mètres
d'hauteur, qui est reservé aux grimpeurs. Mais aussi en hiver le lac attire beaucoup de
touristes, qu'y exercent les sports d'hiver ou qui ne sont que de spectateurs. Une
victorieuse équipe d'hockey de patinage porte son nom, et il y a une piste de bobsleigh
bien connue et une piste qui est un parcours permis pour le «Kandahar».

MITTENWALD liegt, wo sich zwischen Wetterstein und Karwendelgebirge ein Alpentor in den Süden öffnet. Das war zur Zeit der Fuhrleute und Flößer ein europäischer Handelsplatz. Seinen Weltruhm verdankt das „Geigenbauerdorf" einem Bauernburschen namens Matthias Klotz, der das Handwerk auf 20jähriger Wanderschaft bei den berühmtesten Meistern gelernt hatte. Goethe machte hier Station und nannte den Ort wegen seiner bemalten Häuserfronten „ein lebendiges Bilderbuch". Dieses historische Erbe hat das Luftkur- und Wintersportzentrum in sein elegantes Touristenprogramm eingebaut, zu dem das Gebirge — besonders in der weißen Saison — in märchenhaftem Glanz erstrahlt. Das Bild vermittelt die Après-Ski-Stimmung des internationalen Wintersportplatzes, in dem die Skischulen zugleich gesellschaftliche Mittelpunkte darstellen.

THE SMALL TOWN OF MITTENWALD is situated at an Alpine gate opening to the south between the mountains "Wetterstein" and "Karwendel". At the time of the carriers and the raftsmen it was an European trading centre. The "village of violinmakers" owes its world' fame to a country-lad, Matthias Klotz, who learned the trade from the great masters on travels lasting twenty years. Goethe had stopped here and called the place "a living picture-book" for its painted façades. The climatic health resort and centre of wintersports has taken up this historical inheritance into its tourist-program, the mountains — especially during the white season, — contribute to it a fabulous splendor. The picture shows an après-ski impression of this international place of winter sports, in which at the same time the ski-schools are representing the social centre.

L'ENDROIT, OU UNE PORTE ALPINE S'OUVRE AU SUD, ENTRE LES MONTAGNES DU «WETTERSTEIN» ET LES MONTAGNES DE «KARWENDEL», voilà la petite ville de Mittenwald. Aux temps des voituriers et des flotteurs c'était une place de commerce européenne. Le petit «village de luthiers» doit sa reputation mondiale à un jeune paysan, Matthias Klotz, qui avait apprit le métier chez les maîtres les plus célèbres pendant son tour, qui durait 20 ans. Goethe s'y est arrêté et il a appellé ce village pour ses peintures de façades «un vivant livre d'images». La station climatique et centre de sports d'hiver a compris cet héritage historique dans son programme touristique, dont les montagnes particulièrement en hiver accordent une splendeur fabuleuse. L'illustration montre une impression d'après-ski de l'endroit international des sports d'hiver, dont les écoles de ski forment le centre mondain.

DAS WERDENFELSER LAND hat seinen Namen von dem ehemals stolzen Ritter-sitz Werdenfels, dessen Ruinen heute zu den Spaziergängerzielen Garmischs gehören. Ein halbes Jahrtausend stand dieses Gebiet unter der Herrschaft der Bischöfe von Freising; deshalb findet man im Vorland des Wettersteingebirges und der Zugspitze (S. 103) besonders viele sehenswerte Werke sakraler Kunst: in der Neuen Pfarrkirche St. Anton zu Garmisch, in Maria Himmelfahrt und in der Votivkirche St. Anton in Partenkirchen, in St. Peter und Paul in Oberammergau, in St. Peter in Mittenwald ... Diese Schöpfungen einheimischer Baumeister und der Maler und Stukkateure aus der Meisterschule der Wessobrunner Abtei sind Beispiele für die typisch oberbaye-rische Spielart des Barock und Rokoko. Dagegen wurden für die monumentale Pracht Ettals (S. 107) auch Künstler herbeigeholt, in deren Werk schließlich Stilmerkmale von europäischer Geltung zusammenwirken. Mit dem Brauch der „gemalten Archi-tektur" haben die Rokokokünstler hierzulande die fromme und zugleich so erquickend heitere Kunst der Heiligendarstellung aus dem Gotteshaus auf die Straße verpflanzt. Allgegenwärtiger, triumphaler Hintergrund aller Künste ist im Werdenfelser Land die Natur. Als ein Ziel für gute Geher sei das Ammergebirge genannt, wo der schweig-sam wandernde Naturfreund noch rudelweise Hirsche und Gemsen beobachten kann. Felsgeher finden ein alpines Revier im Reintal, wo unter den jähen Wänden des Hochwanner und des Hochblassen die „Blaue Gumpe" liegt, ein einsamer Bergsee — einer der schönsten Punkte der Alpen. Im botanischen Alpengarten beim Schachen-schloß, einem königlichen Jagdhaus, blühen Abgesandte der Hochgebirgsflora aller Erdteile einträchtig nebeneinander. Wer schnell und bequem bergwärts kommen will, findet Schwebebahnen und Lifte in den Touristenzentren wie in ihren zahl-reichen Dependancen, zu Gipfelzielen und Caféterrassen, zu Aussichtspunkten und Skiabfahrten ...

THE WERDENFELS COUNTRY derives its name from the ancient proud knight's castle, called Werdenfels, the ruins of which belong to the popular walks taken from Garmisch. For half a millennium this territory was ruled by the bishops of Freising; for this reason at the foreland of the Wetterstein-mountains and the "Zugspitze" (p. 103) many works of religious art are to be found; at the new parish-church St. Anton of Garmisch; at the Assumption- and the votive-church of Partenkirchen; at St. Peter and Paul of Oberammergau, at St. Peter of Mittenwald ... These creations of local architectes, painters and stucco-workers, coming from the school of arts of the Wesso-brunn abbey, are examples of the typical Upper-Bavarian kind of the baroque and the rococo. On the other hand artists were called for the monumental magnificence of Ettal (p. 107), in whose works features of general European style were combined. In applying the "painted architecture" the artists of the rococo have transplanted here the pious and at the same time cheerful art of representing the saints from the house of God to the street. Omnipresent background of all kinds of art in the Werdenfels country is nature itself. The "Ammer"-mountains are a recommendable destination for able walkers, where the silent friend of nature has the opportunity to watch flocks of stags and chamois. Mountaineers will find some Alpine districts in the "Rein"-valley, where under the steep walls of the mountains "Hochwanner" and "Hochblassen" lies a solitary mountain-lake, called the "Blaue Gumpe". It is one of the most beautiful spots of the Alps. In the botanic garden of the "Schachen" castle, a royal hunting-lodge, specimen of a high mountain flora from all continents blossom in perfect harmony. Tourists wishing to reach the summits in a quick and comfortable way will find at all the holiday centres suspension railways and lifts, which will take them to the mountain-tops, coffee-terraces, look-out spots and run-downs . . .

LE PAYS DE WERDENFELS a reçu son nom de l'ancien et fier siège chevaleresque, dont aujourd'hui les ruins font des buts populaires aux promeneurs de Garmisch. Pendant un demi millénaire ce territoire-là fut régné par les évêques de Freising; c'est pourquoi qu'on trouve beaucoup d'œuvres remarquables d'art religieux au front des «Wetterstein»-montagnes et le mont «Zugspitze» (p. 103): dans des églises comme St. Antoine à Garmisch, à l'église de l'Assomption et de St. Antoine à Partenkirchen; de l'église St. Pierre et St. Paul d'Oberammergau et puis St. Pierre de Mittenwald . . . Voilà des créations des architectes, peintres et stucateurs indigènes venant de l'école célèbre de l'abbaye «Wessobrunn»; ce sont des examples du baroque et rococo typique de la Haute-Bavière. Le pompe monumental d'Ettal (p. 107) montre au contraire que les artistes furent appelés de loin; ils ont créé d'œuvres d'un style caractéristique et valable dans toute l'Europe. Avec l'usage de «l'architecture peinte» les artistes du rococo ont transplanté dans ce-pays-ci l'art religieux et serein, c'est-à-dire la représentation de saints de l'église sur la rue. Le fond omniprésent de toute sorte d'art du pays de «Werdenfels», c'est la nature. Le bon marcheur trouve les montagnes d'«Ammer» un but attrayant où le taciturne ami de la nature a l'occasion d'observer des hardes et des chamois. Un terrain alpin s'offre aux grimpeurs dans la vallée de «Rein», où aux pieds des parois de rocher du «Hochwanner» et du «Hochblassen» est situé le lac alpin «Blaue Gumpe» — c'est un des plus beaux points de toutes les Alpes. Près de «Schachen», pavillon de chasse royal, dans un jardin botanique le touriste peut admirer des spécimens d'une flore alpine, qu'on ne trouve que dans la haute montagne de tous les continents. Aux centres touristiques des ascenseurs et des funiculaires sont à la disposition du voyageur qui prefère arriver comfortablement et promptement aux sommets, aux cafés situés dans les montagnes, aux endroits avec de belles vues et aux pistes de ski . . .

OBERAMMERGAU ist nicht nur Passionsspielort. Auch zwischen den Spielen sehen Hunderttausende das Passionsspielhaus, die zum Teil schon alten Kostüme und Requisiten. Denn seit 1633 erfüllt die Gemeinde ihr Gelübde, zum Dank für Errettung von der Pest alle zehn Jahre den Menschen das Leiden und Sterben des Heilands sichtbar zu machen. Aber der Ort birgt noch andere Sehenswürdigkeiten, so die seit der Zopfzeit bis heute mit Meisterschaft geübte „Lüftlmalerei", den bildhaften Schmuck der Hausfronten. Die gemalte Architektur am „Pilatushaus" ist ein historisches Beispiel dieser heiter-frommen Rokokokunst. Noch länger ist im Ort die Holzschnitzerei zu Hause. Mönche aus dem Kloster Rottenbuch haben um 1500 dieses Kunsthandwerk im Alpenvorland eingeführt, und die Oberammergauer Herrgottschnitzer wurden weltbekannt. (Im Bild: das Passionsspielhaus).

OBERAMMERGAU is not only a place of the Passion plays. Even between the plays people by hundreds and thousands visit the theatre-building to see the partly very old costumes and requisites. Since the year 1633 the community fulfills a vow to make visible every ten years the suffering and the death of Our Saviour, out of gratitude that the town was rescued from the plague. But there are other curiosities to be seen in this place, such as the so-called "Lueftlmalerei", a kind of painting done since the age of pigtails up till nowaday, which are the plastic ornaments at the front of the houses. The painted architecture at the "house of Pilatus" is a historical example of this pious and cheerful rococo-art. The woodcarving craft is exercised even longer in this small town. Monks from the convent Rottenbuch have imported this artistic trade about the year 1500 into the Prealpes, and the "Herrgottschnitzer" (who carve sculptures of Our Lord) of Oberammergau became worldknown.

OBERAMMERGAU n'est pas seulement le lieu de représentation de Passion. Même entre les représentations des centaines et des milliers viennent voir le théâtre de Passion, les costumes et les accessoires en partie très anciens. Depuis l'année 1633 la municipalité accomplit un vœu, de faire voir au peuple tous les dix ans la douleur et la mort du Sauveur en remerciement pour le sauvetage de la peste. Mais il y en a des autres curiosités dans cet endroit, comme la peinture à fresque «Lueftlmalerei», qu'on a décoré les façades depuis le temps du rococo jusqu'à nos jours. Un exemple historique de cet art religieux et joyeux du rococo, c'est l'architecture peinte sur la «maison de Pilatus». La sculpture sur bois est encore plus longtemps pratiquée dans ce village. Des moines du couvent de Rottenbuch ont importé cet artisanat aux Préalpes vers l'an 1500 et les «Herrgottschnitzer» (sculpteurs) d'Oberammergau sont connus dans le monde entier.

IN DEN OBERSTDORFER KESSEL münden sieben Alpentäler ein. Die schönsten sind allerdings für Autotouristen gesperrt; dort ist der Wanderer König. Wer nicht gut zu Fuß ist, kommt aber mit den fahrplanmäßig verkehrenden Stellwagen (im Winter Pferdeschlitten) auch ans Ziel. In jedem Tal locken neue Schönheiten: Quellseen, Wildbäche und Wasserfälle, wildromantische Klammen, und immer wieder die faszinierenden Ausblicke auf die Zweieinhalbtausender der Allgäuer Alpen. An Festtagen der Landschaft bekommt man auch ihre Trachten zu sehen; hier ist eine neuere, praktisch-kleidsame gezeigt. Zur Winterszeit erscheinen auf den Oberstdorfer Straßen sehr skurrile Verkleidungen: die garstigen „Klausen", ein Zerrbild des St. Nikolaus, und die aus heidnischer Vergangenheit überkommenen, geweihtragenden Hirschdämonen.

Seven Alpine valleys are running into THE OBERSTDORF HOLLOW. The most beautiful of them are barred for motor tourists. Here the pedestrian is the king. But for the bad walker there are regularly running stage coaches (in winter there are sleighs drawn by horses) which bring them to their destinations. Each valley has its own, new beauty: spring-lakes, torrents, waterfalls, romantic gorges and always the fascinating views of the Algau Alps of more than 2500 meters altitude. On holidays the visitor might even see the national costumes; the picture shows a new one which is very practical and becoming. In wintertime the streets of Oberstdorf are crowded with persons in fancy disguise: the ugly "Klausen", a caricature of Santa Claus, and the stag-demons, handed down from a pagan past.

DANS LE CIRQUE d'OBERSTDORF débouchent 7 vallées alpines, dont les plus belles sont en effet barées pour les touristes motorisés; là-bas le voyageur à pied est roi. Qui n'est pas bon marcheur peut faire usage des voitures de bois circulant régulièrement (en hiver il y a des traineaux à chevaux). Dans chaque vallée on trouve de nouvelles beautés; des sources formant un lac, des torrents et des cascades, des cataractes d'un romantisme sauvage et par tout des belles vues sur les montagnes d'Allgaeu d'une hauteur de plus de 2500 mètres. Aux jours de fête on peut y voir les costumes nationaux; on y montre un des plus modernes costumes pratique et seyant en même temps. En hiver apparaissent des figures en déguisement fort sinistre dans les rues d'Oberstdorf: les vilains «Klausen», une caricature de St. Nicolas, et les cerfs démoniaques d'un passé paën.

EINÖDSBACH ist der südlichste Punkt Bayerns: ein Gasthof, ein Kapellchen, ein paar Bauernhäuser ... Man erreicht ihn von Oberstdorf aus durch das Stillachtal. Der Weg führt vorbei an drei Kapellen aus drei Stilepochen: der Wallfahrtsort St. Loretto. In der Birgsau ist urgemütliche Einkehr für den Wanderer und Ausspannung für die Rösser der Stellwagen und Schlitten. Der Talschluß (Bild) gehört zu den eindrucksvollsten Bildmotiven der gesamten Alpen. Man tritt aus dem Wald und steht plötzlich vor dem himmelhohen Aufbau des „Allgäuer Dreigestirns": Trettachspitze, Mädelegabel, Hochfrottspitze. Dort oben wurde, unterhalb der Gipfel entlang, ein mit Drahtseilen und Leitern gesicherter Steig für hochalpines Wandern angelegt, der „Heilbronner Weg". Er wird in jedem Sommer von mehr als 10 000 Bergfreunden begangen.

THE EXTREME SOUTHERN POINT OF BAVARIA IS THE LITTLE HAMLET EINOEDSBACH. There is nothing but an inn, a small chapel, a few farm-houses ... To get there you start from Oberstdorf, traversing the "Stillach"-valley. The route passes three chapels of three different epoches of style: St. Loretto, a place of pilgrimage. The Birgsau is a cozy inn for the hiker and it is also a place to unharness the horses of the stagecoaches and the sledges. The final part of the valley (picture) represents one of the most impressive picture-motives of the entire Alps. Stepping out of the wood the traveller finds himself in front of the "treble constellation of the Algau", reaching almost up to the sky; the mountains "Trettachspitze, Maedelegabel, Hochfrottspitze". High up, below the summits a path protected by wire ropes and ladders was laid out for Alpine mountaineers, the "Heilbronn path". Each summer more than 10 000 mountain-climbers are walking there.

LE POINT LE PLUS MERIDIONAL DE LA BAVIERE C'EST EINOEDSBACH; voilà une auberge, une petite chapelle, quelques maisons rustiques ... On y arrive d'Oberstdorf en traversant la vallée de «Stillach». Le chemin y passe à côté de trois chapelles de trois époques de divers styles: c'est St. Loretto, lieu de pèlerinage. Le Birgsau est une auberge très comfortable, aussi bien les chevaux des voitures de bois et des traîneaux y sont dételés. La fin de la vallée (illustration) est un de plus beaux motifs pittoresques des Alpes entières; en sortant de la forêt on se trouve tout à coup devant le «triple astre d'Allgaeu» qui s'élève jusqu'au ciel: les monts «Trettachspitze, Maedelegabel, Hochfrottspitze». Là-haut on a construit sous les sommets un sentier consolidé avec des câbles et des échelles, c'est le «Heilbronner Weg», qui est reservé aux alpinistes éprouvés. Pendant chaque été plus de 10 000 grimpeurs en profitent.

DIE WALLFAHRTSKIRCHE IN DER WIES liegt wie ein Einödhof mitten im Bauernland. Mächtige Bäume stehen daneben, in ihrem Schatten ein Wirtshaus. Das ließ
der Baumeister des berühmten Gotteshauses errichten, um dort zu wohnen und sein
Werk bis ans Lebensende tagtäglich vor Augen zu haben. Das Licht ist in die Architektur des wundersam graziösen Rokoko-Interieurs mit einbezogen; in seinem Spiel
scheinen die gebärdenreichen Gestalten der Kirchenväter zu leben.

LIKE IN A DESERT THE CHURCH OF PILGRIMAGE "IN DER WIES" is situated
in the middle of the country-side. Beside the church there are many trees, and in
their shadow we find an inn. The architect of the famous church had it built, to live
there and to watch his work every day till the end of his life. The architecture of this
graceful rococo-interior includes the light; the gestures of the fathers of the church's
figures seem to be alive in it.

AU MILIEU DU PAYSAGE EN PLEINE SOLITUDE on trouve l'église de pèlerinage
«In der Wies». A côté d'elle il y a des grands arbres et dans leur ombre voici une
auberge. C'était l'architecte de l'église célèbre qui fit la construire pour y loger et
pour avoir son œuvre devant ses jeux chaque jour jusqu'à la fin de sa vie. La lumière
est comprise dans l'architecture de ce ravissant intérieur en style rococo; la mimique
des figures donne aux pères d'église l'air d'être vivants.

OTTOBEUREN, DETAIL VON EINEM ALTAR in der Benediktiner-Abtei. Putten
sind „Schnörkel am Rande der Kunst", und das Barock ist die paradiesischste Zeit
dieser geflügelten Himmelskinder. Sogar in Kirchen dürfen sie sich tummeln, und
die Wogen der üppigen Ornamentik sind für ihre bewegten Spiele und vielseitigen
Künste das rechte Feld.

A DETAIL OF AN ALTAR OF THE BENEDICTINE-ABBEY OF OTTOBEUREN.
Cherubs are "scrolls on the edge of art", and the baroque represents the heavenly
time of these winged children of heaven. They are even allowed to romp in churches,
and the luxurious ornaments are the right field for their agile games and their versa-
tiles arts.

VOICI OTTOBEUREN, un détail d'un autel dans l'abbaye des Bénédictins. Les
chérubins y sont «des ornements baroques au bord de l'art», et le baroque est le
temps du paradis de ces enfants ailés du ciel. Même les églises sont leur terrain de
jeu, et l'intérieur avec ses ornements luxueux est la place propre pour leur arts
étendus et leurs jeux agiles.

DIE ALTERTÜMLICHE STADT FÜSSEN führt in ihrem Wappen drei Füße. Das möge den heute oft allzu eiligen Reisenden mahnen, an diesem von kulturträchtiger Vergangenheit geprägten Stadtbild nicht ungeduldig vorüberzufahren, sondern sich gemächlich und genüßlich zu ergehen im heimeligen Gewinkel der Giebelhäuser, Tore und Türme, vor Prunkbauten und Fassadenmalereien. Spazierwege, Wanderrouten und Klettersteige gehen von Füssen aus in alle Himmelsrichtungen.

THE ANCIENT TOWN OF FUESSEN has in its coat of arms three feet. This might warn the traveller who nowaday is very often in a great haste not to hurry impatiently past this town, stamped by a rich cultural past. He should stroll about and enjoy the homely corners of the gable-houses, the gates and towers, admire the pompous buildings and the façade paintings. Walks, hiking-tours, climbing-paths are leading from Fuessen to all cardinal points.

L'ANCIENNE VILLE DE FUESSEN a dans ses armoiries trois pieds. Au voyageur trop souvent pressé c'est une exhortation de ne pas passer en vitesse cette ancienne ville marquée d'un passé culturel, mais de se promener commodement aux pittoresques coins de maisons des toits à pignon, des portes et des tours et devant des édifices pompeux et des peintures sur façades. Ainsi Fuessen est point de départ de différentes promenades, des routes alpines et des sentiers conduisant dans tous les points cardinaux.

DAS SCHLOSS NEUSCHWANSTEIN ist eines dieser Ziele, ein Reiseziel von weltweitem Ruf: theatralische Architektur, eingebettet in faszinierende Bergnatur; Hinterlassenschaft eines weltfremden Königs, der sich vor dem unerbittlichen Fortgang der neuen Zeit in eine idealisierende Traumwelt flüchtete. Schwärmerische Romantik in Reinkultur.

THE CASTLE OF NEUSCHWANSTEIN is one of the destinations mentioned above; it is of world-wide fame. A theatrical architecture is embedded into a fascinating mountain-scenery, estate of a shy and inexperienced king, who fled from the inexorable progress of the modern time into an idealizing world of dreams. A fanciful romantism in the purest culture.

UN DE CES BUTS EST NEUSCHWANSTEIN, d'une renommée mondial. D'une architecture scénique, située au nature montagneuse ravissante, c'est un héritage d'un roi étranger au monde, qui s'était enfui d'inexorable progrès d'un nouveau temps dans un monde imaginaire. Voilà un romantisme très exalté.

DIE INSELSTADT LINDAU liegt in einer schönen Bucht des Bodensees, wo Deutschland, Österreich und die Schweiz zusammentreffen. Idyllische Gassen und prächtige Bürgerbauten erinnern an die einstige Handelsstadt. Zu diesen Motiven gesellt sich immer wieder der Ausblick auf den See, der von der Obstbaumblüte bis in den weingoldenen Herbst seine Stimmungen wechselt. Gastlichkeit hat im „Schwäbischen Venedig" guten Ruf; Lichterfeste, Nachtfahrten mit Tanz an Bord, Segelreisen, Theater und Spielbankbetrieb wetteifern, den Gast angenehm-aufregend zu unterhalten. Zwei Brücken verbinden die „Ferieninsel" mit ihrem Hinterland, Lindau-Gartenstadt: acht Kilometer Seeufer mit Bädern, Wasserskischule, Tennisplätzen, Camping, Kureinrichtungen, Landschaftsgärten und einem Klima, das Tamarisken, Tulpenbäume, Feigen und Zitronen gedeihen läßt.

THE INSULAR TOWN LINDAU is situated in a beautiful creek of lake "Bodensee", where Germany, Austria and Switzerland are meeting. Picturesque lanes and splendid town-houses remind of the former commercial town. These subjects are again and again joined by views over the lake, which offers variegated impressions from the blossoming fruit-trees to the golden vineleafs in autumn. Hospitality is written in capital letters in the "Venice of Swabia"; celebrations with illuminations, nightly boat-trips with dancing parties on board, yachting, a theatre and a casino rival to entertain the visitor in an agreeable and exciting way. Two bridges connect the "holiday island" with its back country — Lindau-Gartenstadt (garden city): the town parades 8 km of a shore with public baths, a school for aquatic-skiing, tennis-courts, camping, medical establishments, landscape-gardens, parks and a climate that makes grow tamarisks, tulip-trees, figs and lemons.

SITUEE SUR UN ILOT LA VILLE DE LINDAU est un de plus beaux points du lac «Bodensee»; c'est ici que l'Allemagne, l'Autriche et la Suisse se rencontrent. Des ruelles pittoresques et des superbes édifices bourgeois rappellent l'ancienne ville commerçante. Ces motifs sont toujours joints par la vue sur le lac, dont les impressions changent de la floraison des arbres frutiers jusqu'aux feuilles de vigne dorées en automne. L'hospitalité de «Venise Suabe» est bien famée; des illuminations, des promenades nocturnes en bateau avec des fêtes dansantes, des voyages en voiliers, un casino et un théâtre rivalisent d'entretenir le visiteur d'une manière agréable et exitante. L'île de vacance est unie avec son arrière-pays, Lindau-Gartenstadt (ville de jardins). La ville fait parade d'une rive de 8 km de longueur avec des plages, une école de ski nautique, des courts de tennis, du camping, des bains médicinaux, des jardins et des parcs, et puis un climat qui fait croître des tamarisques, des tulipes, des figues et des citrons.

Bad Kissingen

Miltenberg

Regensburg

Passau

Aschaffenburg

Nördlingen

Lindau

München

Ingolstadt

Weiden

Amberg

Augsburg

Straubing